D1155225

# MAÏMOUNA

*DU MÊME AUTEUR*

*Nini, mulâtresse du Sénégal,* roman, 1951, Éditions Présence Africaine.

*Tragique hyménée,* nouvelle, 1948, feuilleton in « Afrique-Matin » Dakar.

*La belle histoire de Leuk-le-lièvre,* en collaboration avec Léopold Sédar Senghor (livre de lecture à l'usage des cours élémentaires des écoles africaines), 1953, Hachette/Edicel.

*Modou Fatim,* nouvelle, 1960, Imp. Diop, Dakar.

*Tounka,* nouvelle, 1965, Éditions Présence Africaine.

*Éducation africaine et Civilisation,* essai, 1964, Imp. Diop, Dakar.

*Ce que dit la musique africaine,* collection Jeunesse, 1985, Éditions Présence Africaine.

ABDOULAYE SADJI

# *MAÏMOUNA*

Roman

*PRÉSENCE AFRICAINE*
*25 bis, rue des Écoles - 75005 Paris*

ISBN 978-2-7087-0050-5

# PREMIÈRE PARTIE

## CHAPITRE PREMIER

Les terreurs de la nuit s'évanouirent avec le premier chant des coqs. L'ombre traîna encore sur les cases serrées du village. Opaque, vivante, animée de créatures invisibles et perfides dont l'approche du jour annonçait la retraite, elle fuyait par vagues longues et lentes devant le crescendo de mille bruits caractérisés.

L'Orient demeurait fermé, mais l'idée du jour qui allait naître d'un moment à l'autre et la certitude du danger conjuré chassaient déjà les longues insomnies. C'est alors que les hommes superstitieux, glissèrent dans ce sommeil lourd de l'aube que suivent les réveils pénibles.

Le deuxième chant des coqs s'éleva des ombres qui noyèrent le chaos des paillottes aux toits coniques, des rangs serrés des arbres à bouquets sveltes. Elles prenaient racine opiniâtrement, indifférentes à l'éclat merveilleux des dernières étoiles. A l'ouest du village, une voix humaine fusa solitaire et des minutes anxieuses s'écoulèrent. Une trépidation familière naquit bientôt et toute la terre alentour en fut ébranlée : c'était le premier pilon de cet instant avant-coureur de l'aube. Les oiseaux se mirent à gazouiller, les arbres à murmurer et les ténèbres s'étirèrent à n'en plus finir, traversées par une large brise ; et elles se réveillaient, et elles s'ébrouaient, frileuses et lasses.

Quand les coqs du village unanimes eurent poussé leur troisième chant, l'Orient commença à montrer ses gencives blanches. Alors, un gris douteux emporta les dernières ombres. Les coups de pilons se multiplièrent et la conquête du jour s'effectua par courtes étapes. Les cases, tout à l'heure, confusément unies dans le creuset nocturne se détachèrent dans l'espace, avachies de frayeurs inavouées. Les arbres à bouquets hauts sur pied brandissaient dans l'air maintenant transparent la preuve ingénue de leur innocence. Et les hommes de surgir ça et là, rassurés, sinon triomphants ; un peu engourdis par tout le poids de leurs songeries stériles, ils vaquèrent en silence à leurs occupations. Ces hommes, ces femmes, sortis de la nuit, paraissaient renaître à la vie, et pareils aux nouveaux-nés, dont l'organisme neuf marque un arrêt de vitalité avant d'éclater en activités, ils semblaient suffoqués par la pureté de l'air et la fraîcheur du matin.

Maïmouna se leva seulement quand le soleil fut haut dans le ciel. Cette petite Maïmouna aimait les grasses matinées et sa mère, si douce, était complice de cette paresse.

Cette femme, par habitude, se levait au petit jour, elle faisait sa prière au Bon Dieu, puis nettoyait les abords de la case avec un balai en nervures de palmes. Certains jours, la petite Maïmouna, dans le demi-sommeil, percevait le « crass-crass » du balai, le doux « crass-crass » où sombraient ses menues songeries de fillette paresseuse. Une tendresse infinie la soulevait alors, l'anéantissait dans la chaleur du lit et dans la suprême consolation de cette présence si chère.

Enfin levée, elle s'étira longuement, tituba et apparut au seuil de la case. Sa mère interrompit un geste commencé pour lui poser une question, toujours la même :

— « Tu es levée, Maï ? »

Maï s'aventura quelque temps dans la cour, torse nu, baillant et soupirant. Elle disparut un moment dans l'enclos des roseaux, reparut, prit de l'eau dans une timbale et, vraie chatte qui lustre son poil, commença sa toilette. Dans le creux de sa main incurvée, elle versa de l'eau dont elle aspergea son visage mal réveillé. Une impression de froidure la fit frissonner. Elle s'appliqua ensuite à nettoyer délicatement les coins de ses yeux, les cils et les sourcils. Très attentive, comme si elle trouvait quelque plaisir à ce travail. Le même manège reprit dès qu'une nouvelle douche mouilla son joli visage. La bouche, par contre, fut rincée d'une façon un peu sommaire. Maïmouna fit glouglouter de l'eau dans ses joues gonflées et la rejeta loin d'elle en la regardant d'un air de défi comique. Une fois, deux fois, trois fois... Elle en fut quitte. Le « sotiou » (1) ferait le reste. Elle termina sa toilette en lavant ses petits pieds l'un après l'autre, avec la coquetterie des grandes femmes. La voilà proprette, c'est l'heure de déjeûner d'un plat de couscous préparé la veille et de boire un peu de lait sucré, coupé d'eau. Enfin, les choses lui apparurent claires et nettes et elle

(1) Sotiou : petit bâton de bois tendre qui sert à nettoyer les dents.

en oublia la lassitude du réveil, l'aspect morose de la nature au matin. Des chansons légères, mélopées anciennes ou modernes, commencèrent à effleurer ses lèvres. Elle les fredonna en pensant à autre chose.

A l'âge innocent, quand les petites filles noires ne portent qu'une touffe de cheveux au sommet de leur crâne rasé, Maïmouna était radieuse : un teint clair d'ambre, des yeux de gazelle, une bouche trop petite peut-être, trop allongée, mais d'un modelé déjà net et sensuel. Sa poitrine encore nue se bombait d'une harmonieuse façon et laissait prévoir d'opulents charmes futurs. Elle avait une taille souple, gracile, mais sans raideur ni noblesse affectée. La finesse racée de ses poignets n'avait d'égale que la délicatesse de ses chevilles où semblait courir un perpétuel frémissement.

De son portrait moral, que dire, mon Dieu !

C'était une petite fille sans caractère défini, presque sans pensées, rieuse, insouciante. Sa mère, pauvre, l'habillait simplement, mais avec goût. Si les camisoles de Maïmouna n'étaient pas faites de riches étoffes, elles donnaient pourtant à son teint plus d'éclat et de fraîcheur. La mère les choisissait de couleur vert d'eau, rose pâle, bleu clair, et, économie ou nécessité, elle les faisait coudre sans broderies, ni dentelles, ni falbalas. Leur simplicité convenait d'ailleurs fort bien à la petite, qui avait l'art de les porter avec négligence, le col un peu de côté, de manière à découvrir une épaule. Maïmouna avait aussi une manière à elle de nouer son pagne. Il n'était jamais solidement fixé, une des extrémités dépassait toujours en bas ; et dans cet état, le pagne entravait souvent sa marche un peu étourdie. Elle le remuait sans cesse ce pagne, le rajustant d'un geste machinal. Aucun bijou de quelque valeur n'ornait son corps ; débarrassée de sa camisole légère et de son pagne rebelle, Maïmouna apparaissait nue, vraiment nue.

Sa mère vendait diverses denrées sur le marché du bourg. C'était selon la saison pour certains produits, toute l'année pour d'autres ; ainsi, elle avait à tout moment du piment en poudre couleur de sang durci et pulvérisé ; des cornets de poivre gris et blanc, des « nététous » secs et odorants, du gombo écrasé, du poisson fumé ou séché. Et quand arrivait la saison où les fruitiers gonflés de sève éclatent en produits juteux et mordorés, elle devenait l'une des plus actives vendeuses de mangues, de goyaves et d'oranges du marché. Son étal était en tout cas très renommé.

Cette excellente femme, veuve un an après que Maïmouna fut sevrée, n'avait pas voulu se remarier. Elle vivait du produit de son petit commerce et d'une maigre pension que lui envoyait mensuellement sa fille aînée, mariée à un commis-comptable de Dakar.

Elle s'appelait Daro. Vit-on jamais femme plus honnête, plus courageuse, plus digne dans la pauvreté ? La petite Maïmouna grandissait à côté d'elle, la divertissant de son bavardage, l'enveloppant de la grâce de sa présence et de ses gestes. Elle était son unique espoir, la seule perle qui fascinait encore ses yeux que plus rien d'autre n'émerveillait.

Comme les villageoises commençaient à envahir le bourg, Daro s'en alla vers le marché. La matinée s'annonçait belle et remplie de promesses. C'était un lundi, jour de foire aux denrées locales. Des ânons gris trottinaient entre deux rangées de femmes guêtrées de poussière ; souplesse de la hanche, feu du regard : des femmes peuhles. Suivaient les paysannes du Cayor hautes et musclées, aux gestes démesurées zébrant la route de silhouettes étranges. Des poulets attachés en grappes par les pattes et pendus aux deux bouts d'un bâton comme les plateaux d'une balance, grisés par la marche élastique de leur porteur, s'évertuaient, le cou tordu, à retrouver un équilibre du monde. Et des béliers rétifs, et de petits moutons bélants prenaient le même chemin, tirés par des gamins à peine aussi râblés qu'eux.

Dès que Yaye Daro eut quitté la maison, Maïmouna se mit à récurer la marmite, à nettoyer cuvettes et calebasses, à préparer le bois de cuisine. Le reste de la matinée, jusqu'à l'arrivée du train, elle le consacra à sa « dome », une poupée robuste, trapue et malitorne, sans bouche et sans nez, mais affublée d'une perruque de laine et de vêtements soyeux, multicolores, comme en portaient les vraies grandes dames du pays de Maïmouna. A l'arrivée du train, elle coucha la « dome » dans son petit lit, ferma la porte de la case et courut vers le marché. Du marché, elle rapporta les provisions nécessaires pour le repas de midi, poissons frais, riz ou semoule, huile, condiments divers. Vite, elle alluma du feu, opération parfois délicate. Elle prenait de minuscules brindilles, très inflammables, les entassait au centre d'un foyer formé par trois grosses pierres, siège de la marmite. Elle installait sur ce matelas trois ou quatre bûches, quelques menus bois et mettait le feu. Les brindilles se consumaient avec une rapidité déconcertante, mais avant de se transformer en cendre, elles communiquaient la flamme qui gagnait le menu bois, puis le cœur des bûches entêtées.

Maïmouna assit la marmite ventrue sur les trois grosses pierres et vaqua à ses occupations en petite ménagère consciencieuse. Elle accomplissait depuis déjà assez longtemps les gestes rituels qui mettent de l'arôme dans les marmites, rougissent les sauces et les rendent capiteuses. Sous ses doigts agiles, le feu prenait âme et s'élançait en langues rèches et avides, le brouet fredonnait un chant et se répandait aussitôt en lamentations comme une vieille sans cervelle. Dans ces moments là, elle s'interdisait de songer à sa « dome » ou de psalmodier les cantiques de l'enfance chères aux petites filles noires. Car, malgré son âge, Maïmouna avait beaucoup d'amour-propre et entendait réussir dans toutes ses naïves entreprises.

Sa mère ne rentrait pas à midi. Le marché était situé loin du quartier où elle habitait et le soleil est trop pénible à cette heure. De plus, elle ne voulait pas, en quittant la halle, même pour peu de temps, perdre la clientèle de ces gens sans souci qui arrivent à n'importe quel moment de la journée. La petite Maïmouna portait donc le repas entier au marché, où toutes les deux se régalaient au milieu du bavardage des marchandes. Souvent, elles n'étaient pas seules à manger leur plat ; des voisines, invitées par protocole, accouraient, peu scrupuleuses, et leur tenaient bonne compagnie, prophétisant, intarissables de verve et d'imagination.

Mais la mère, pieuse et fidèle épouse, pensait au fond d'elle-même que cette nourriture offerte à autrui, était une aumône qui contribuerait à sauver l'âme de son défunt mari.

Certains jours, par temps très lourd et quand les opérations s'étaient succédé avec une intensité fiévreuse, la mère Daro, après ces repas copieux, cédait à l'engourdissement de ses nerfs et dormait. Maïmouna, alors, veillait seule et continuait à servir la clientèle de hasard.

## CHAPITRE II

A l'encontre du jour qui vient progressivement, timide et indécis, le soir tombait, bref comme un coup de sifflet métallique, bref comme la stridulation de ce sifflet qui chaque jour donnait, à la même heure, l'ordre d'évacuer le marché. Alors, un branlebas fou se produisait dans toutes les Halles ; des calebasses s'entrechoquaient, des piles de légumes s'effondraient, mille mains prestes raflaient dans un beau désordre, toutes les victuailles qui gisaient alentour ; et la clameur des fins de marché mit un point au doux charivari qui avait régné sur les dalles paisibles.

Yaye Daro, flanquée de sa Maï, prit la direction de son quartier. En chemin, elle supputait ses bénéfices du lendemain, augurait sur la mévente probable de telle ou telle denrée, faisait des projets d'avenir. La fillette acquiesçait, s'étonnait, pour faire plaisir à sa mère, et même conseillait. Elles arrivèrent à la maison aussi satisfaites l'une que l'autre. Pendant que Maïmouna, courageuse, enlevait la cendre du foyer et commençait la préparation du souper, Yaye Daro procéda à l'inventaire de ses denrées et produits. La fillette l'aida pour la comptabilité. Le bilan des recettes et des dépenses fut fait sans grande difficulté, mais les fluctuations des prix, la concurrence, la déloyauté de certaines marchandes arrachèrent des soupirs de résignation et de dépit à la brave femme.

Puis, au loin, la voix du muezzin domina les bruits mourants du jour. La nature se recueillait. Le sentiment de la nuit réimposa l'idée de Dieu et les hommes s'émurent en même temps, se souvenant que c'était l'heure de la prière du « timis » (1). Maïmouna et sa mère firent le salam côte à côte, unies dans le même obscur idéal, comme elles l'étaient dans toutes les circonstances de leur vie.

La nuit promena sur les cases déjà muettes sa fraîcheur et le rêve profond de son ciel bleu piqué d'étoiles. La nuit exaltait le cœur des humbles, elle mettait un charme de plus au cœur des conteurs magnifiques. C'était l'heure des réunions paisibles dans les étroites cours sableuses, l'heure des entretiens lyriques, de la danse et de la lutte chez les petites filles et les grands garçons. Tout un monde défunt se repeuplait dans l'imagination des foules en veillée. Des espoirs naissaient à entendre les aventures de bêtes et d'hommes, d'orphelins et d'enfants choyés. Le lièvre, bien sûr, continuait de tromper l'hyène, le lion maîtrisait la jungle, et les étoiles, les étoiles radieuses, envoûtaient les adolescents déjà rêveurs.

Yaye Daro se promit ce soir là une petite veillée chez des voisines de bonnes mœurs. On l'accueillit comme toujours avec empressement. Elle s'assit, modeste et heureuse, et envoya Maï jouer avec les enfants de la maison.

Il y avait toujours pour les grandes personnes matière à conversation. Elles devisaient en riant parfois discrètement. Mais les thèmes de leurs collo-

(1) Timis : crépuscule.

ques demeuraient invariables : c'étaient les vicissitudes de l'époque, la santé précaire, troublée par des maux de tête, des courbatures, des lourdeurs dans les reins ; c'étaient les faits divers et les actualités du bourg ; et aussi les scandales domestiques.

Chez les petites filles, dont les gestes montaient vers une lune démesurée et grimaçante, les propos étaient moins graves et moins voilés. Après le « dang-agne », danse diabolique où elles s'écartelaient à qui mieux mieux, suivait un concert de mélopées pleines de nostalgie et d'ardeur, et de souvenirs plus vieux qu'elles.

La musique se transmet et se conserve merveilleusement chez le nègre. La petite fille noire n'apprend pas les airs qu'elle chantera plus tard. Elle en porte la gamme en naissant. Ces airs s'épanouissent, s'imposent à son esprit, selon son âge, les besoins de son corps et de son cœur. Elle les chante, les fredonne ou les murmure en travaillant. Rien ne doit s'opposer à leur éclosion. Il faut que la femme noire exhale en plaintes courtes et suaves l'immense peine de sentir la fuite des jours, la tristesse des tombeaux, l'invulnérabilité des forces de la nature, la vanité de tout, ici bas. Et par réaction, il faut qu'elle chante la gloire des ancêtres, dont se nourrit la vaillance des hommes de maintenant, la conduite des honnêtes filles et, ma foi, la beauté et la noblesse de leurs amoureux. Les toutes petites de l'âge de Maïmouna répètent comme des perroquets des chansons dont le sens leur échappe mais auxquelles, par simple disposition naturelle, elles savent donner une éloquence touchante...

Dès que les enfants eurent cessé les culbutes et les chants et commencèrent à dire des contes à tour de rôle, la mère Daro sentit que le moment de se retirer était venu. Elle héla sa Maï, se leva pour remercier et prendre congé. On la complimenta fort civilement et on les confia, elle et sa fille, à la miséricorde de la nuit, disant :

— Que la nuit soit votre manteau.

Elles cheminèrent côte à côte vers leur modeste concession, chacune livrée aux réminiscences de ce qui l'avait le plus vivement intéressée durant cette courte veillée. Les cases les attendaient, plus solitaires sous la clarté prodigieuse de la lune. Et comme elles arrivaient à la hauteur de la porte familière, une bête fila droit devant elles, rapide comme une flèche. C'était Sirou, le chat malin et sournois.

Le sommeil de Maïmouna, après les fatigues du ménage et les émotions de la journée, venait assez vite. Mais elle ne lui cédait pas avant de dire un long bonsoir à sa mère. Un bonsoir qui traînait, fait de contes merveilleux ou terrifiants, et de propos adoucis de grands pour petits. Elle se hissa dans le lit derrière sa mère et collée à elle, comme à l'époque déjà lointaine où elle la « botait » (1) en chantant « ayo néné ». La mère tourna le dos à sa fille et commença d'une voix molle et endormie, ce qui donnait à Maïmouna l'impression que cette voix venait de très loin, du fond d'un monde mystérieux de l'inconnu. La mère parla amicalement du lièvre et du chacal, tourna l'hyène en ridicule, brossa le masque sauvage et revêche de la famille du tigre et du lion. Elle plaignit les enfants, les pauvres enfants abandonnés dans les forêts des contes, et les orphelins livrés à la vindicte de quelque marâtre. Elle rappela avec amertume la vie d'autrefois, leur jeunesse à elles, si simple et si joyeuse. Tout cela

(1) Boter : porter sur le dos.

pêle mêle coulait et s'agglutinait, semblable par la tristesse et la manière suave de le dire.

Au bout du rouleau, Maïmouna s'endormit ; elle s'endormait toujours confiante, un de ses bras autour de la taille de Yaye Daro. Bientôt sa petite jambe se soulevait et, brusquement, se détendait. La fillette commençait à mâchonner des riens et à s'étirer comme une couleuvre. Elle rêvait. Elle rêvait d'une mer immense, bordée à perte de vue de coquillages, gros, dodus, éclatants de blancheur. Elle courait sur ce grand tapis de coquillages, en amassait dans des calebasses, dans ses pagnes, n'en pouvait plus d'en amasser... Un sursaut. Ni mer, ni calebasses, ni coquillages : un rêve. Elle se retournait dans son lit en bougonnant inconsciemment. Le calme intérieur revenait et un autre rêve surgissait plus coloré ou plus terrible. Par exemple, elle avait gagné pour sa poupée, le rêve ne dit pas comment, des malles de soie et des malles de bijoux. Soies multicolores et rares, bijoux que les artisans du village n'avaient jamais fabriqués. Elle en avait paré sa « dome » et avait organisé un banquet auquel tout le pays avait assisté « diougnediougns » (1) en tête. Sa « dome » avait pris des proportions et parlait maintenant, recevait les hôtes à côté de Maïmouna, faisait miroiter devant leurs yeux éblouis les brillants les plus riches de la terre.

Mais un cauchemar, souvent, l'agitait au milieu de ses doux rêves : Tableaux antédiluviens, griffes acérées, gueules de feu serties de dents énormes, vapeurs perfides stagnant en des abîmes insondables. Elle se voyait poursuivie par un taureau fu-

(1) « Diougnedioung » : tam-tam de guerre et de cérémonie.

rieux, et acculée contre le mur de la maison. Enfin des esprits malfaisants, incarnés dans des formes horribles, l'emportaient dans leurs serres en ricanant, vers la grande forêt, loin de sa tendre mère. Ces cauchemars se terminaient par un cri de Maïmouna que sa mère, réveillée, calmait aussitôt. Vers l'aube les rêves la quittaient pour de bon. L'haleine fraîche de la nature pénétrait dans la case avec les premières lueurs du jour, et le petit corps sombrait dans un sommeil heureux.

La mère Daro interprétait défavorablement ces cauchemars. Elle était superstitieuse comme toutes les mères noires. Pour elle, chaque rêve avait sa signification et recommandait soit une aumône, soit un talisman. Chaque fois qu'au réveil Maïmouna lui narrait ses terreurs de la nuit, elle en plaisantait avec elle, pour rire et surtout pour la rassurer. Mais secrètement, elle allait voir le marabout ou le féticheur. Leur conclusion était toujours la même : un maléfice accompagnait le rêve le plus innocent. Il fallait sacrifier un poulet blanc ou faire aumône d'un peu de lait caillé ou de noix de kolas. Parfois la vieille rapportait de ses visites des sachets de poudre et des boules de papier qu'elle fixait au corps de Maïmouna, ce qui accroissait sans cesse le nombre déjà considérable de ses amulettes.

Un jour, elle s'en ouvrit clairement à la petite. Partout où elle avait consulté, les devins lui avaient dit : « Que Maïmouna se débarrasse d'une certaine enfant noire qui a même âge qu'elle et dont la maison est à proximité de la vôtre. Qu'elle évite sa compagnie. Elles n'ont ni la même tête, ni le même œil. C'est cette enfant si attachée à Maïmouna qui, par un pouvoir héréditaire de sorcellerie, trouble le sommeil de ses nuits ».

Une enfant noire de l'âge de Maïmouna ? La mère Daro n'eut pas besoin de chercher longtemps. Une seule fille du quartier fréquentait assidument chez les Daro, acceptait souvent d'y manger, vouait enfin à Maïmouna une sympathie, une tendresse anormales. C'était la petite Karr, Kar-Yalla, comme on l'appelait communément dans le quartier. Belle à ravir, mais d'un genre spécial. Elle était noire de la tête aux pieds, d'un noir anthracite, avec de gros yeux très mobiles et une dentition idéale. Toute sa famille était affectée de cette beauté physique, ce qui était peut-être à l'origine de « ce qu'on disait d'eux ».

— Une confidence, ma petite, avait dit Yaye Daro à sa fille. Evite d'aller avec Karr. Ne lui dis rien, mais fuis-la autant que possible. Attends, ne me demande encore rien... Surtout ne marche pas à côté d'elle dans le crépuscule, et rends-lui toujours les tapes qu'elle te donne, quels que soient le prétexte ou le lieu. Ne mange ni ne bois chez elle, et n'accepte pas d'eux le moindre morceau de « kola ».

Maïmouna, à ce discours, eut peur et tremblait déjà. Pourquoi toutes ces défenses et pour la première fois ? Karr, si gentille avec elle, pouvait-elle lui vouloir du mal, à elle, Maïmouna, sa meilleure camarade ?

— Écoute, ma fille, continua Yaye Daro. Certaines personnes ont des dispositions surnaturelles cachées en elles et qui les distinguent de l'homme ordinaire. Leur œil démesurément long voit à travers notre corps, comme toi à travers une eau claire et limpide. La forme et la grosseur de notre corps, de notre foie, les moindres replis de nos entrailles, elles voient tout, rien ne leur échappe. Ces personnes surnaturelles ne s'approchent de nous que lorsqu'elles nous jugent à point pour satisfaire leurs incroyables appétits. Ayant, de par leur beauté et leur don de séduction, gagné entièrement notre confiance, elles nous rendent malades d'une maladie apparemment banale, mais d'allure galopante. Alors, si un guérisseur réputé n'est pas dans la contrée, les « Sorciers » triomphent et vont vous dévorer dans la tombe. On cite de nombreux cas de « diafour » (1), ma fille. Mais je te raconterai cela une prochaine fois. Pour l'instant, apprends à éviter la petite Karr. Ne la repousse pas brutalement, de peur qu'elle ne se venge, mais fuis-la tant que tu peux.

Maïmouna avait vraiment peur. Cependant, elle se sentait beaucoup de pitié pour la brave petite Karr, si naïve, si spontanée. Comment penser qu'une créature aussi délicieuse puisse ne pas être comme tout le monde, avoir une personnalité double et des instincts d'ogresse ?

(1) Diafour : sorte de délire qui pousse les sorciers noirs à faire des confessions.

## CHAPITRE III

Maïmouna, à dire vrai, ne se possédait entièrement que lorsqu'elle était seule avec sa « dome ». Pour leurs tête-à-tête, toute présence étrangère lui était importune. Elle lui avait donné le nom de Nabou et se plaisait à la doter de qualités et de défauts, les mêmes qu'assurément elle eût voulu posséder ou combattre. Nabou se prêtait docilement aux caprices de sa maîtresse. Que lui importait d'être debout ou couchée, d'écouter des sermons ou des louanges auxquels elle ne pouvait répondre ? Mais peut être que dans son âme obscure la « dome » concevait qu'elle donnait du bonheur à une petite fille en se prêtant aux fantaisies de son imagination.

De fait, Maïmouna prenait sa « dome » pour la créature sensée, déjà mondaine, que sans doute plus tard elle-même voudrait incarner. Il y avait des jours où elle l'habillait et la parait comme pour une cérémonie. La « dome » était alors astiquée, vêtue de neuf, avec des bijoux et des dorures en miniature. Maïmouna l'asseyait entre des coussinets et simulait l'attitude de la servante qui attend des visiteurs de marque.

— Qui veux-tu donc recevoir, belle « dome » ? Des ducs du Cayor ou des Boumis du Saloum ? Tous sont dignes de te faire visite. Attention, Nabou, prends ton air le plus grave. Là, fixe sur moi ton regard et montre que tu sais recevoir des hôtes de marque .

Maïmouna s'emparait de Nabou et l'asseyait dignement au milieu du coussin. Elle se recueillait ensuite et faisait la voix de celle qui entend frapper à la porte.

— Entrez, disait-elle, et, à mi-voix, sermonnait la « dome ».

— Tiens-toi donc comme il faut ; vois, les hôtes de marque arrivent.

Éperdument, toutes les scènes de courtoisie sénégalaise hantaient son cerveau de petite fille noire. Elle revivait en imagination, à la place de Nabou, ces entrées grandioses et les salamalecs nombreux et recherchés.

Elle subissait l'action irrésistible du « téranga » (1) ouolof qui relâche les muscles et mortifie les nerfs.

— Oui, cela va très bien, disait Maïmouna, à la place de Nabou. Il y a si longtemps qu'on ne vous avait vus. Asseyez-vous donc sur le lit ou sur le târa (2). Et soyez les bienvenus. »

Elle allumait l'encens et le respirait avec volupté. Ce qui achevait d'abuser son imagination. Pendant ce temps, la « dome » restait figée, son regard inanimé posé sur quelque coin de la case familiale.

Puis, sans transition — et il importait peu qu'on fût en plein jour — Maïmouna trouvait que le moment de se coucher était venu. En son esprit régnait la nuit profonde et opaque, le vent peuplé de revenants, le glapissement des chacals au loin, et le grand silence nocturne sur le village. Alors, Maï étendait Nabou dans sa couchette et lui souhaitait une bonne nuit.

(1) Téranga : savoir-vivre ; art de recevoir quelqu'un.
(2) Târa : lit très bas en fibres végétales.

Elle gagnait ensuite la cour où l'éclat du jour la détrompait brutalement. Elle s'installait sur le sable mou et s'adonnait à son jeu favori, le jeu des coquillages.

Une de ses jambes étendue sous elle, l'autre pliée, arc-boutant où sa main gauche et sa tête trouvaient appui, elle ramenait des coquillages ou de minuscules cailloux, et, songeuse, les lançait verticalement, habile à les saisir avant qu'ils soient retombés sur le sol ; ainsi jouait-elle tout en pensant.

Par exemple, quand la petite Dioro avait, l'autre jour, fait allusion à elle en disant de vilaines choses. Maïmouna se promettait de lui demander des explications. Une autre, Salma, lui avait promis de l'initier à des jeux de cailloux récemment connus dans le village où ils faisaient fureur. D'autre part, la Korité approchait. Sa mère serait-elle en mesure de l'habiller et de la parer comme ses camarades les plus distinguées ?

Sa mère pouvait tout puisqu'elle lui vouait un amour sans égal. Ah ! les mignons bijoux qu'il y avait chez Assann, le syrien du quartier. Si Daro tardait un peu trop, on les enlèverait tous. Quel malheur !

Ouf ! Mais tout cela est bien sérieux ! Un gros soupir soulevait la poitrine de Maïmouna et, aussi peu prévisible qu'un envol de moineaux, ses soucis la quittaient. Alors elle lançait et rattrapait avec plus de conviction ses cailloux et ses coquillages.

Dans les nombreuses combinaisons qu'elle en tirait, il lui apparaissait toujours des cas nouveaux, des coïncidences qui la bouleversaient. Certains coquillages qu'elle avait identifiés retombaient toujours en chevauchant les autres ; tandis qu'il y en avait qui s'égrenaient comme les perles d'un chapelet.

Les uns présentaient invariablement le dos, quelques-uns s'évasaient comme pour recevoir l'eau du ciel. De là, pour la petite Maï, une destinée qui s'attachait aux uns et aux autres. A telles enseignes que bien souvent, pour connaître la bonne ou la mauvaise volonté du sort à l'égard de ses espoirs ou de ses petits projets d'avenir elle se confiait au mystère des coquillages, disant : « Si telle catégorie s'ouvre, j'aurai ce que je veux ; si telle autre se ferme, je n'aurai pas mon bijou » ; les cailloux, plus indociles, filaient sous ses doigts malhabiles, et tombaient loin en brillant. Elle les rattrapait avec des gestes de défi et de méchantes chiquenaudes. Elle les entrechoquait, en les prenant l'un après l'autre, entre l'index et le majeur, ce qui était une opération difficile.

Quand elle en avait triomphé, un sourire éclairait son visage. Elle était alors sûre de ses cailloux et de la domination qu'elle exerçait sur eux.

N'est-il pas permis de placer dans ce mysticisme précoce l'origine du « Tanni » ? (1). Le Tanni qui promet les trônes aux princes, annonce les désastres et pénètre les secrets des amoureux ? Le « Tanni » aussi est un langage de coquillages qui s'enchevêtrent ou s'étalent comme une constellation d'étoiles.

A l'heure du robinet, Maïmouna poussait cailloux et coquillages dans un coin secret, empoignait un récipient — une calebasse — fermait soigneusement la case et s'en allait dans la direction du sud.

Le robinet était le rendez-vous des petites filles.

(1) Tanni : jeu de coquillages (cauris) qui permet de prédire l'avenir.

Elles s'y rassemblaient, comme hirondelles au printemps, le matin à 8 h. et le soir quand le train arrivait en s'époumonant. Que les canaris regorgent d'eau, que les bassines soient pleines, chaque fille, à l'heure du « robinet », calait un récipient sous son bras, entortillait un lambeau d'étoffe en guise de coussinet et quittait sa maison. En chemin, elle humait d'avance l'atmosphère de la place, une atmosphère chargée de cancans, de méchante gaieté et de polissonneries. Les pieds s'enchevêtraient à force de vouloir aller trop vite, les oreilles bourdonnaient de tintamarres et de voix faussement perçues. On imaginait déjà la foule des habitués, dense, bigarrée, vivante ; et le rutilement des estagnons neufs, et la caresse de l'eau qui coule sans humeur.

C'est du robinet que toutes les querelles du village partaient. C'est là aussi qu'elles se vidaient entièrement après avoir passionné les mères et les grand-mères de ces petites filles.

C'est là que l'on voyait de jeunes diablesses au verbe haut, à la colère mauvaise, et qui avaient dans un repli de leur pagne une bonne mesure d'injures et de gros mots. Elles se démenaient, poings sur les hanches, solidement campées, la tête hargneuse, le buste incliné, et l'index, un index fou, pointant l'adversaire comme pour le transpercer. Ces femmes criaient leur haine ou leur mépris.

Au cours de la mêlée, des touques étaient renversées, des calebasses réduites en morceaux ; louis d'or, verroteries et touffes de cheveux arrachés formaient de lamentables trophées. Certaines, plus malicieuses, excitaient la querelle en aiguillonnant l'amour-propre des adversaires. Seules, les grandes filles intervenaient pour calmer les commères ; et souvent leur aide n'avait pour effet qu'une violence accrue, des injures et des coups de dents !

La petite Maïmouna ne s'était jamais battue au robinet. Elle avait, malgré son jeune âge, le don de plaire, presque de séduire. En outre, son caractère était assez ferme, son tempérament assez froid, pour ne pas réagir aux mauvaises plaisanteries qui alimentaient les querelles. Non pas qu'elle détestât la bagarre et les batailles rangées qui ameutaient toute la ville, occasions de commentaires extravagants et interminables, mais elle se dérobait toujours par devoir et peut-être pour éviter quelque chagrin à sa mère, Daro. Chaque fois qu'un exploit survenu au robinet était connu au marché, Daro confiait son étal à une voisine et se précipitait pour voir sa Maï et s'assurer qu'on ne la lui avait pas écharpée.

Le monde est si mauvais, les langues si méchantes, les pensées si cruelles et les Daro, si pauvres, si faibles, si seules...

Or, ce matin là, au robinet, on s'agitait plus que de coutume. L'approche de la fête y avait jeté un ferment nouveau dont toutes les filles du village étaient énervées. Les unes, filles de familles riches ou aisées, brûlaient d'impatience d'y paraître parce que rien ne manquait à leurs atours, parce qu'elles possédaient déjà des louis d'or, chaînettes en or, perles et verroteries sans oublier les jolis pagnes à fleurs. Les autres voyaient avec effroi la fête approcher à pas de géants. C'était la catégorie de Maïmouna. Le trousseau de celles-là n'était pas au complet, leurs bijoux dormaient dans la cassette du bijoutier, faute d'un peu d'or pour les restaurer.

On parlait déjà du tour à prendre chez Lala, la magicienne des toilettes féminines. Lala, la coiffeuse qui savait opérer des miracles dans les tignasses les plus sordides. Quelques filles qui voulaient paraître entièrement renouvelées le jour de la fête s'étaient dépeignées et avaient enlevé de leurs têtes le plus petit ornement. Et ces têtes, vraiment nues et endeuillées, présentaient des chevelures épaisses en boules compactes ou en broussailles, de tristes oreilles noires au lobe transpercé, une nuque rasée, potelée, sans grâce.

La semaine suivante, on irait chez Lala, l'incomparable magicienne. Toute la journée les filles du village, à l'approche d'une fête, y attendaient leur tour, abandonnant à leurs mamans les travaux de ménage et l'âcre fumée des cuisines.

Elles attendaient en causant et en organisant des concerts sur le thème éternel de leurs sympathies ou sur l'air nouveau de Limalé.

Pendant ce temps, Lala avait couché une cliente et l'avait immobilisée entre ses grosses cuisses. Ses mains enduites de graisse fourrageaient dans l'opulente tignasse, la tiraillaient, écheveau par écheveau, l'assouplissaient. Puis ses doigts agiles soulevaient des mèches luisantes de beurre, les entortillaient, les nattaient. On voyait courir, entre des carrés de cheveux plaqués, des rayons de peau claire qui s'entrecroisaient, immatériels. La patiente, le nez collé sur la natte, ne disait mot, mais songeait. Son imagination lui représentait une autre elle-même, toute habillée. Elle songeait à la combinaison qu'elle ferait de tant de boubous et de camisoles, dons de ses frères et sœurs, de tant de bijoux, héritage de sa mère. Seuls ses pieds aux fines attaches, en remuant parfois, traduisaient sa satisfaction. Un frisson semblait les parcourir, le gros orteil se débattait contre le second, les mollets se touchaient, se pressaient, enfin s'immobilisaient. Autour des oreilles le beurre suintait et le cou était veiné de noir.

L'œuvre d'art terminé présentait, selon la mode du temps, l'aspect d'un livre ouvert, dont les pages seraient constituées de part et d'autre par une profusion de queues noires nouées à leurs extrémités. Et comme ces tubes de cheveux réels ou postiches partaient les uns du côté droit, les autres du côté gauche du crâne et se rencontraient tous sur la ligne médiane antéro-postérieure, on appelait l'ensemble du monument « marcher et se rencontrer » (doh-dadjé).

La veille de la fête, Maïmouna fut des plus affairées, car outre la ribambelle de soucis ayant trait à sa coiffure, à ses vêtements à ses bijoux, elle devait fixer le henné à ses talons. Le henné ne prend que la nuit. C'est une pâte rouge sang très compacte, obtenue en malaxant les feuilles ténues de l'arbuste à henné. Elle s'étale facilement et adhère à la peau.

Maïmouna installa son pied droit sur son genou gauche. Son petit pied méticuleusement astiqué. Ce pied mérite qu'on s'y arrête un instant. Les orteils délicats et bien rangés, la couleur translucide, crème rosée, ce pied était allongé, étroit, dodu en haut, incurvé en bas. A l'aide de son pouce, de son index et du majeur, Maï l'enduisit très lentement et fort soigneusement de henné, passant de temps en temps ses doigts dans l'eau pour les rendre plus glissants. Et peu à peu, la douce peau claire fut couverte d'une gaine de henné brillant. A la fin Maï prit des chiffons préparés à l'avance, des feuilles de « poftane » (1) et elle enveloppa son pied pour hâter l'effet magique du henné. Elle effectua la même opération sur l'au-

(1) Poftane : genre d'enphorbiacée.

tre pied. Si bien qu'en allant au lit, elle était ridiculement bottée de torchons.

Pour les soins de ses mains, elle fit intervenir la mère Daro.

La pauvre femme, après ses fatigues de la journée, dut s'atteler à cette nouvelle besogne et y concentrer toute son attention pendant de longs moments. Accroupie devant sa fille aimée, elle lui prit une main déjà lavée et nettoyée. Une main fine et docile qui avait l'air d'implorer le pardon. Elle y étendit du henné avec plus d'application que Maïmouna, et plus de science, tout en racontant des histoires de sa jeunesse passée. Il n'y avait pas tant de folies et d'engouements, on vivait mieux. Les filles chantaient bien et dansaient parfaitement les rythmes diaboliques de leur pays. Aujourd'hui, la mode venait de Saint-Louis et s'inspirait des toilettes mauresques.

Évidemment, les femmes ressemblaient maintenant davantage à la Femme par leur mollesse et leurs manières lascives copiées sur celles des « domous-ndars ». Mais elles n'ont plus les vertus domestiques et l'endurance de leurs aïeules. Elles ne pensent plus qu'à leur corps et au succès de leur toilette.

Maïmouna protesta :

— C'est notre époque qui l'exige. Est-ce que de votre temps, il y avait le train, les autos, les « roplanes ? (1)

— Aviez-vous des « Foï-foï » (2) et des mouchoirs de soie, et des « longs-longs ? (3)

— Non, certes, mais nous avions des amulettes

(1) Roplane : aéroplane.
(2) Foï-Foï : gaze.
(3) Longs-longs : pendentifs indigènes.

en or, vrais monuments qu'on ne trouve plus ; des anneaux de pieds en argent massif. Nous étions plus naturelles comme cela.

— J'ai vu chez Alima une photo de sa grand-mère quand elle était une jeune femme. Je trouve, sans méchanceté, que c'est un peu lourd. Elle a les deux mains largement étalées sur ses genoux, le regard terrible, le buste raide et sévère. Elle porte en outre un « ngouka » (1) démodé et aux pieds d'énormes masses d'argent qui devaient lui faire bien mal aux chevilles. Quelle différence avec les photos de maintenant !

— Mais je te dis que vous n'aurez jamais nos belles qualités.

— Moi, en tout cas, mère, je veux te ressembler toujours, toujours...

— S'il plaît à Dieu ?

— Oui, s'il plaît au Bon Dieu, mère.

Le soleil du lendemain fut un autre soleil qui se leva avec une extrême douceur. Le ciel du lendemain fut un autre ciel d'un bleu mauve où passaient, ombres légères, les anges du Paradis. Il y avait dans l'air comme un vague parfum de choses saintes qui grisaient les fidèles croyants de l'Islam. La conscience satisfaite, l'esprit allégé par tout un mois de jeûne et de prières, les hommes oubliaient leurs peines quotidiennes et ne sentaient plus la pesanteur de la vie. Ils se pardonnaient avec une mutuelle indulgence les fautes commises au détriment des uns et des autres. Toute la journée, ils firent ripailles et promenèrent dans les ruelles du village leurs toilettes claires, étalant un optimisme que rien ne pouvait entamer.

(1) Ngouka : perruque indigène.

Le soleil grimpa en silence au plus haut du ciel et plongea tout doucement sur l'autre pente de son parcours. Après la méridienne, le village connut plus d'animation et d'effervescence. Les mets copieux, arrosés de lait ou de gingembre, donnèrent à tous plus de cœur et d'entrain. On procédait fiévreusement à des préparatifs pour les distractions du soir. Il y eut un tam-tam sur la place du quartier qu'habitait Maïmouna.

On entendit les premiers sons vers le « takoussane ». Des bancs larges et souples furent acheminés vers la place où déjà de mauvais garnements exécutaient des sauts et des voltiges, mimant leur ardeur précoce. Et l'appel du « sabar » (1) retentissait loin dans le bourg. Il faisait courir dans le dos des filles de grands frissons qui glaçaient leur nuque et leur donnaient le vertige. Il mettait au cœur des jeunes gens une faim de tendresse et emplissait leurs yeux de multiples visions charmantes : celle des boubous de femmes colorés et traînants ; celle de leurs bras et de leurs jambes huilés, noircis de henné ; celle de leurs gestes lents et bouleversants qui étaient une perpétuelle invite. Il remuait dans les entrailles des vieilles personnes d'amères souvenirs, témoins gênants de leur déclin.

Yaye Daro se mit à habiller sa petite fille Maï, qui venait de prendre un bain soigné. Elle avait sorti de la malle grise un petit pagne à rayures rouges, une camisole de gaze aux manches frisées et un ample boubou blanc de bazin, au col garni de broderies jaunes. Le pagne fut enroulé méthodiquement autour des hanches de Maïmouna. Yaye Daro l'ajusta de son mieux et le fixa au moyen d'un mou-

(1) Sabar : tam tam long et étroit.

choir de tête plié de manière à faire office de ceinture. Elle vérifia les extrémités du pagne et s'assura qu'elles tombaient selon la mode du temps. Ensuite, elle sortit la camisole de gaze, raide et légère comme un papillon empesé. Elle écarta les manches repliées, l'ouvrit par la base dans un bruit aigre de papier qu'on déchire. La petite y passa sa tête et ses bras, s'y débattit un instant, puis émergea. Yaye Daro tira par ci par là sur la camisole qui perdit finalement sa raideur. Le boubou de bazin, enfoncé avec les mêmes soins, étalait devant et derrière ses broderies jaunes aux formes géométriques. Les dessins moirés de l'étoffe, lissés par un méticuleux fer à repasser, descendaient, parallèles, en luisant comme de larges raies d'argent.

La mère, satisfaite, tendit un miroir à sa fille. Elle se regarda et se trouva plus belle qu'elle ne s'était imaginée. Sa tête rasée de très près et frottée à la brillantine, portait en avant, à la limite du front, une bande de cheveux presque à ras, terminée en pointe vers les tempes. Et le sommet droit de son crâne portait le pompon épais et noir qui finissait en pomme d'arrosoir. Au cou, elle avait, un peu trop serré mais élégante, une chaînette en or à mailles, qui retenait sur la gorge un gros bouton d'or pointu en son milieu.

Elle sourit à la délicieuse petite fille qui la regardait avec des yeux marrons et doux et la délicieuse petite fille lui renvoya le même sourire.

Puis, accompagnée de Salma, qui l'avait attendue tout ce temps, elle s'en alla vers le tam-tam, pieds nus et passablement fière. Yaye Daro la regarda s'éloigner, le cœur gonflé d'une fierté non moins grande.

Au tam-tam, elles trouvèrent toutes leurs camarades. On les accueillit, non sans insinuer de légers reproches. Pourquoi ce retard ? Puis l'on passa outre. Le tam-tam commença de résonner, les battements de mains rythmèrent sa cadence et le « sabar » invita les petites à danser. Ne passaient-elles pas habituellement tout leur temps à s'exercer, à imiter les déhanchements, les esquives, les lentes évolutions et les poses lascives de leurs aînées ? Elles le faisaient en s'accompagnant de la voix ou au son de vieux estagnons aux timbres éraillés. Maintenant, elles allaient danser pour de bon la vraie danse des grandes, avec les mêmes gestes et la même dignité que les grandes. Le « sabar » appelle plus fort, insiste, tourné vers un point du cercle. Une fillette bondit, courageuse, et se donne en spectacle. Le griot l'accoste, avec empressement. Elle lève une jambe, puis l'autre, déplie son bras en avant, marche par lentes foulées. Ses épaules roulent, son corps fléchit par saccades, et le petit derrière en mouvement s'arrondit, s'affaisse, marque des envies de se détacher pour courir, tantôt à droite, tantôt à gauche. C'était le « yaba » composé, danse pleine de grâce et de sous-entendus. Elles dansèrent bientôt deux ou trois ensemble. Le griot étourdi par cette avalanche de danseuses, ne savait de quel côté aller. Il battait éperdument sur son tam-tam, l'air ahuri, incapable de suivre et de rythmer leurs gestes et leurs allures dissemblables.

Puis, les grandes s'en mêlèrent en vraies trouble-fêtes. Les petites, malgré leur volonté de demeurer les maîtresses de la danse, malgré leur ardeur à les égaler, durent s'éclipser momentanément pour leur abandonner la place. Alors, le griot, sentant que la partie devenait sérieuse, tendit davantage son tam-tam et changea de manière. Les sauts devenaient plus démesurés, les gestes plus amples et les mimiques plus réelles. Les grandes le regardaient dans les yeux, l'assaillaient, exécutaient des détentes et des pirouettes qu'il rythmait avec moins d'aisance. Arc-bouté sur son instrument que soutenait sa jambe gauche pliée, il les dévisageait, guettait le moindre mouvement de leurs corps, dans l'attitude du lutteur qui veut parer une attaque. Et puis, il les abreuvait de sons brefs, précipités, assourdissants, comme pour les étourdir et mater leur humeur belliqueuse.

Longtemps, longtemps, elles frustèrent ainsi les fillettes de leur droit et rivalisèrent de hanches et de croupes somptueuses.

Quand le tam-tam reprit pour les ayants-droit, ce fut pour le « djinne », musique de quémande, durant l'exécution de laquelle chaque danseuse était tenue de donner une large obole au griot.

Quelle belle petite humanité gentille ! Quelle promesse de futures beautés féminines !

Le lendemain de la fête Maïmouna avait encore le doux vertige de ce tam-tam.

Elle n'avait pas osé danser, avait encouru pour cela une amende, mais somme toute, elle était satisfaite qu'on l'ait vue pour la première fois en grande toilette.

## CHAPITRE IV

« Maïmouna grandit trop vite », pensa Daro ; et aussitôt elle se reprocha cette pensée. Il n'était pas permis à une mère de compromettre le destin de sa fille par une pensée si cruelle et si précise. Le mauvais sort était à l'affût des moindres occasions pour briser les fillettes en pleine croissance.

Et Daro essaya de faire diversion à l'idée tyrannique que Maïmouna grandissait trop vite ; tentative difficile s'il en fut, car la petite poussait, poussait, longue et fluette, comme les jeunes plantes de son pays.

Daro songea malgré elle aux appels réitérés de Rihanna, sœur aînée de Maïmouna, qui vivait à Dakar avec son mari, commis de l'Administration. Cette sœur écrivait à sa mère au début de chaque mois et lui envoyait un peu d'argent.

Dans chacune de ses lettres, quelques lignes concernaient la petite Maïmouna. C'était invariablement pour demander où en était la taille de Maïmouna, sa santé et sa bonne humeur.

La mère Daro répondait toujours « Guereum Yalla » (Dieu merci). Rihanna tenait aussi à ce que la petite allât vivre auprès d'elle à Dakar. Elle craignait que la brousse n'en fît une petite sauvage, à peine présentable, ignorant tout des manières de la femme moderne, quand viendrait pour elle l'âge de se marier dans les milieux sélects où sa jeunesse, sa beauté et les relations mondaines de sa sœur lui donneraient forcément accès. A Dakar, la petite Maïmouna serait vite dégrossie. Rihanna l'enverrait, s'il le fallait, à l'école de Mme Maubert, où les filles sont si gentilles, où, à la sortie des classes, elles forment de longues guirlandes chatoyantes. Ce n'est assurément pas dans cette brousse de Louga qu'elle trouverait le mari digne d'elle. Rihanna rêvait pour Maïmouna d'un époux cossu, aisé, un homme des cadres, comme son mari, fonctionnaire de grade supérieur. Rihanna oubliait un peu qu'elle était née dans cette brousse, y avait bel et bien grandi jusqu'au moment où la chance lui fit rencontrer ce mari providentiel, venu assister à Louga à une réunion hippique. Il y avait de cela quelque six ans et depuis cette époque, elle n'était jamais revenue dans son pays natal. L'opulence, le cercle restreint et bourgeois où elle évoluait en avait fait une vraie dakaroise. Son orgueil serait pleinement satisfait si elle pouvait avoir à côté d'elle la petite Maïmouna, qu'elle savait douce, attrayante et finement racée.

Aussi multipliait-elle les arguments, chaque fois qu'elle écrivait à leur mère commune. Maïmouna ne constituait-elle pas une charge assez gênante pour Daro, qui entendait continuer son petit commerce ? Celle-ci serait infiniment plus tranquille le jour où elle n'aurait plus à surveiller une gamine qui se trouvait au seuil de la croissance hâtive. Au surplus, elle serait débarrassée d'une somme d'obligations comme l'entretien et la toilette de la petite. Ses recettes de marché seraient à elle toute seule. Elle pourrait réaliser des économies pour grossir le lot de ses bijoux en or, qui reviendraient plus tard à Maïmouna.

Avec un profond regret, la mère répondait toujours : « non » ; le départ de sa Maï rendrait la maison vide et la plongerait, elle Daro, dans une solitude noire. Elle représentait à sa fille aînée, à qui elle ne voulait pas déplaire, que la petite était le soutien, le seul bonheur de ses vieux jours, et qu'elle craignait que leur séparation ne lui fût fatale. Elle terminait ses lettres par des éloges et de naïves prières pour manifester sa reconnaissance à Rihanna.

Maïmouna grandit trop vite... L'idée obsédait Yaye Daro. En vain voulut-elle la chasser. Pour dire le contraire de sa pensée et anéantir du coup son effet néfaste, elle jeta à haute voix, sans arriver à s'en convaincre d'ailleurs.

— Ah ! Maï, comme tu maigris chaque jour ! Ne sens-tu rien d'anormal ? » Cette constatation et la question posée intriguèrent Maïmouna. Elle se mit à rire. « Je n'ai absolument rien, répondit-elle, je suis tout à fait bien portante.

Yaye Daro était désarçonnée. La fille refusait d'avouer qu'en effet, depuis un certain temps, une extrême langueur baignait son jeune corps au réveil. Oui, au réveil, elle bâillait et s'étirait. La vision matinale du monde extérieur lui causait un sentiment à la fois doux et pénible. De vagues besoins de tendresse, de la nostalgie, des émotions inexplicables l'emplissaient parfois tout entière. Elle tressaillait sans cause déterminée, le regard des hommes la troublait et lui donnait envie de fuir. En bref les choses, d'un seul coup, perdaient leur valeur et leur aspect normaux pour revêtir, à travers une sorte de brume, des caractères nouveaux favorisant chez elle un étonnement et une curiosité quasi maladifs.

En même temps, sa poitrine s'arrondissait de petits seins durs, dont le bouton se détachait à peine. La première poussée avait été brusque et incalculable : la croissance sous les tropiques a de ces élans immodérés !... Les végétaux et les hommes n'y portent jamais leur âge réel. De rabougris, ils s'élancent brusquement à l'assaut du ciel sous le flux d'une sève intense. Les seins de Maïmouna étaient encore puérils, mais laissaient espérer de futurs beaux trésors. Leur apparition ne l'étonna pas outre mesure, car elle avait vu, elle voyait autour d'elle, chaque jour, des gamines de son âge en porter d'aussi fermes, et de grandes filles étaler de vrais monuments gonflés comme des outres.

Elle était même fière d'avoir enfin des seins, des seins irréprochables. On ne dirait pas ensuite qu'elle était demi-homme ou demi-femme.

En cette période, elle fit, pour la première fois, attention à ses bras et à ses cuisses. Ils étaient lisses, polis, presque transparents. Et Maïmouna se baigna plus fréquemment. Plaisir de se voir nue et de caresser sa poitrine, ses côtes, ses bras, ses jambes à loisir.

Le timbre de sa voix demeurait cristallin. Son rire, par contre, devenait malicieux et passionné.

Maïmouna, la petite Maïmouna n'était plus la même. Elle le sentait confusément à certains réflexes, à des instincts bizarres, qui troublaient maintenant son âme sereine d'enfant. Yaye Daro observa, sans plus rien dire, tous ces signes physiques et morbides qui se manifestent au commencement de la puberté. Désormais il existait, entre la mère et la fille, un voile de pudeur empêchant celle-là de trop pénétrer les pensées secrètes de celle-ci. Maïmouna mettait une sorte de ruse juvénile à dérober sa nouvelle personnalité, à vouloir conserver extérieurement son enveloppe de gamine innocente.

Elle devint d'un seul coup excessivement coquette. Elle passait son temps à lustrer sa peau, à tirer sur les cheveux de son pompon pour les allonger, à interroger, devant un trapèze de glace, son nez, sa petite bouche régulière, et ses yeux emplis d'une vision profonde. Comment établir sa parfaite identité devant un morceau de glace ? On ne peut qu'applaudir au jaillissement du petit nez mignon, aux contours veloutés des lèvres, au feu prenant des yeux limpides et expressifs. Excès d'amour-propre, mais quelle fille noire conviendra censément que son miroir peut la tromper ? Elles passent toute la journée devant leur miroir à s'enduire le visage de poudre rose, produit de briques concassées et pulvérisées, à border leurs yeux de koheul, à nettoyer leurs dents avec un « sotiou », à tourmenter leurs cheveux et à rectifier certaine disposition naturelle de leurs lèvres ou de leur menton.

En quittant la glace Maïmouna prenait dans ses mains un peu d'huile qu'elle étendait avec de l'eau et se mettait à frotter ses pieds noircis de henné. Ils brillaient et elle les contemplait, satisfaite. Elle donnait ensuite plus d'ampleur à son petit pagne en nouant moins étroitement leurs deux extrêmités, puis elle rejetait sa camisole du côté droit pour découvrir son épaule, ce qu'elle savait être un signe d'élégance. Avec des mamours de chatte, elle obtint de sa mère perles de verroteries, paillettes d'or, et trois louis authentiques, une fortune en ce temps là, et que Yaye Daro disait contemporains de ses jeunes années. Son pompon huilé et assoupli fut orné de cette poussière de brillants jaune d'or, vert d'eau, bleu de ciel. Les trois louis, fixés par une tresse en lamelles de cuir fabriquées par le cordonnier, chevauchèrent le haut du petit front clair, nettoyé journellement à l'aide d'un tesson de bouteille ou d'une lame de rasoir providentielle. La tête de Maïmouna ainsi embellie était digne du pinceau le plus célèbre et pouvait servir de modèle, dans le domaine sculptural, au burin le plus audacieux.

Et chaque matin, après le départ de la mère pour le marché, ce n'était chez Maïmouna que soins de toilette, soins de beauté parfaite, rêves de bijoux et d'atours. Elle en arriva à amputer sérieusement les privilèges de sa « dome », à négliger la personne de celle-ci au profit de la sienne, tellement plus réelle et plus exigeante.

Désormais, dans l'exécution de la besogne ménagère, elle se montrait très lente, voire un peu boudeuse. Il lui en coûtait maintenant de sentir, en sortant de la cuisine, l'âcre odeur de la fumée collée à sa peau, d'avoir le pompon saupoudré de pellicules de cendre.

Le destin tragique de l'homme allait s'accomplir en elle, crevant son beau ciel d'innocence. Elle le sentait confusément à de vagues sollications d'un moi obscur fait de pudeur et de désirs nouveaux qui se manifestaient à peine.

Sans doute, un instinct très vieux surgit en chacun de nous au moment critique où nous sommes physiquement aptes à perpétuer le redoutable péché ancestral. Sans doute, un souvenir vague et lancinant vient rembrunir la sérénité de l'enfant au seuil de la puberté. Alors, il commence à connaître le doute, la crainte et les illusions trompées. Seuls les oiseaux semblent posséder l'aptitude à la gaieté, à la bonne humeur perpétuelles. Ils chantent en sortant de l'œuf, ils chantent adultes, ils chantent vieux.

Il est peut être vrai que la brève durée de leur existence est comparable à celle éphémère des cœurs purs sur qui l'instabilité de la vie et les malheurs du monde n'ont pas le temps de jeter leurs ombres noires.

Maïmouna étant fille des hommes portait en puissance une énorme hérédité faite de tristesse sans causes et de faiblesses sans raisons. Encore petite fille à peine nubile, la voilà qui entrait de plain pied dans la pénible voie où il faut se défendre contre ses propres instincts, ses propres défaillances. Elle devenait consciente, c'est-à-dire malheureuse. Le calcul, à présent, se mêlait à ses moindres actes. Elle réfléchissait, interprétait, opposait froidement. L'harmonie universelle qui régnait entre les êtres et les choses, les insectes et la poussière, le vent et les cailloux, cessait brusquement, pour faire place à une vision plus nette, plus concrète du monde. Souvent, elle se surprenait à méditer pour des riens. Assez souvent aussi, elle devenait triste sans comprendre pourquoi. Alors la plus petite bagatelle choquait son amour-propre et déclenchait sa mauvaise humeur. Elle sentait que quelque chose craquait dans son petit corps, quelque chose d'irrésistible contre quoi elle ne pouvait réagir suffisamment... Puis, un beau jour, son esprit retrouvait toute sa sérénité, son cœur s'emplissait d'un amour très vague et de houleuses chansons. Elle redevenait la Maïmouna de la prime-enfance, insouciante, spontanée, douce. Alors une inspiration la soulevait tout entière et elle passait la matinée à fredonner ou à psalmodier des mélopées de lutte ou des cantiques de mariage.

Elle avait, de même, perdu ses sommeils d'enfant aux rêves puérils et innocents. Adieu, nappes de coquillages au bord de l'océan, malles remplies d'effets pour Nabou, sa « dome ». Ses songes étaient faits maintenant de désirs et de possession : elle assistait à de grands banquets, un jeune homme hardi la poursuivait dans le bois, la chatouillait et lui faisait peur. C'étaient des sursauts accompagnés de délicieux frissons. Maïmouna se réveillait souvent le visage alourdi, les membres rompus, n'osant pas confesser à sa mère ses aventures nocturnes. Il y avait pourtant bien des mystères qu'elle aurait voulu pouvoir élucider, bien des réactions qui pour elle ne s'expliquaient pas.

L'évolution de cet état confina bientôt à la mélancolie et à la souffrance. Le village ne lui disait plus rien, l'amour et la protection de sa mère la laissaient indifférente ; une seule idée, un seul rêve, emplissait sa jeune tête : répondre à l'invite de Rihanna, aller à Dakar. Son imagination, attisée par une sensibilité inquiète, lui représentait ce pays comme un séjour incomparable. Elle se rappelait trop les lettres de Rihanna et l'invitation qu'elles ne cessaient de répéter : « Laisse Maïmouna venir auprès de moi, je pourrai mieux m'occuper d'elle... » Que faisait-elle en ce village mi-barbare ? Déjà elle ne comprenait plus ses petites camarades d'hier : elles avaient toutes sensiblement grandi, elles avaient chacune des instincts bizarres et des habitudes qu'elle réprouvait. Maïmouna, petite orgueilleuse, sentait confusément qu'elle pouvait devenir plus qu'une humble fille de la brousse, stupide, sans beauté et sans avenir. Elle aimait bien sa mère, mais celle-ci la laissait trop seule, occupée toute la journée à sa besogne de marchande. Elle s'ennuyait trop, n'arrivait pas à employer son temps utilement. N'y avait-il, pour les femmes, que cette cuisine réduite à sa plus simple expression — un plat le matin, un plat le soir — et qu'elle, Maïmouna, réussissait à bacler en une demi-heure ? Sans doute il existait d'autres activités auxquelles elle n'avait pas été initiée : couture, lavage, repassage, soins du ménage ; et même dans l'art culinaire de son milieu il y avait bon nombre de secrets à connaître qu'elle ignorait, parce que chez elle on vivait pauvrement, trop pauvrement.

Elle songeait déjà que le jour où elle aurait un mari socialement aussi haut placé que l'époux de sa sœur Rihanna, ce manque d'éducation la mettrait bien au-dessous de sa condition nouvelle. Car elle rêvait d'épousailles à cet âge où l'aurore de la vie réelle et tragique emplit les yeux des adolescentes et les fait frissonner de douceurs entrevues.

## CHAPITRE V

Le mois de janvier battait son plein avec des alternatives de froid intense et de grandes chaleurs. Au matin un brouillard ténu s'attardait quelque temps aux abords des concessions et fumait doucement, comme à regret. Alors, les cases étaient secouées de toux stridentes et les courettes des maisons voyaient surgir tardivement le peuple grelottant de leurs habitués. Le long des palissades en tiges de mil ou en lattes de bambou, des gamins vêtus de loques sortaient, se protégeant du vent glacial. Devant les concessions les plus accueillantes, ou des gestes de charité étaient accomplis chaque jour un nombre incalculable de fois, ils s'arrêtaient pieds joints, le nez dans les deux mains, et récitaient d'une voix chevrotante et cassée les éternelles litanies des mendiants. Et quand une aumône se faisait trop attendre, ils s'en allaient, chassés par le froid, en trottinant dans une autre direction.

Quand le soleil daignait sourire, il chassait le brouillard, glissait un rayon tiède sur les haillons et le cœur des malheureux. La journée s'écoulait très douce, jusqu'à l'heure où le vent d'Est s'en venait bousculant tout. Il venait avec ses bouches de feu altérées. Alors les foules en vadrouille donnaient de la tête dans des vagues de chaleur desséchante, d'une chaleur qui brûlait les yeux, grillait les narines. Les poulets lamentables cherchaient la fraîcheur. Accroupis à même le sable chaud, dans des espaces découverts, les dromadaires tournaient désespérément leur énorme cou vers l'Ouest et tendaient leurs naseaux ouverts dans un appel émouvant jamais entendu — l'appel de la soif.

Le soir ramenait le froid, un froid plus discret mais plus tenace, qui semblait sourdre de la terre et qui montait, montait à la limite des cheveux. La gaieté et la jovialité des Noirs désertaient les ruelles et ne fusaient que la nuit autour des bons feux de bois où l'on transportait le cercle des longs entretiens, des fables qu'on ne se lasse pas d'écouter, et des contes merveilleux qui emplissent les sommeils des enfants...

Yaye Daro triait le reste invendu de ses poissons secs. Il y avait encore un peu de clarté dans l'atmosphère. A côté d'elle Maïmouna, assise sur un banc, avait la tête baissée, l'index de sa main droite traçant des arabesques sur le sol.

— Pourquoi ne causes-tu pas ? dit tout à coup la mère. Maïmouna ne répondit pas. Sa mine parut devenir plus sombre à cette question.

— Dis donc quelque chose à ta Maman, reprit Daro, sans se distraire de sa besogne. Causer ne m'empêche pas de travailler, j'ai l'habitude.

Elle mettait d'un côté les pièces les plus épaisses, de l'autre celles auxquelles il ne restait que la peau et les arêtes jaunies.

— Dis-moi donc quelque chose, Maï, tu es trop silencieuse.

— Yaye Daro, articula Maïmouna, je veux aller à Dakar, auprès de Rihanna ; je suis trop seule ici, et plus tard, quand je serai grande, je n'aurai pas l'éducation qu'il faut à une femme. »

Daro interrompit un geste commencé et regarda sa fille avec un étonnement douloureux.

— Aller à Dakar ! dit-elle presque rêveuse ; puis elle tourna la tête du côté où l'espace fuyait, illimité.

Le crépuscule était venu brusquement, mêlant les premières ombres aux dernières clartés du jour ; dans un gris douteux montaient des volutes de poussières soulevées par la brise et les animaux qui rentraient de la brousse.

C'était une de cês minutes rares où la nature paraît se recueillir avant que s'accomplisse la métamorphose. Les silhouettes des hommes et des choses s'étiraient dans cette aube crépusculaire.

La voix se faisait craintive et voilée. Les gens se hâtèrent en fuite, semblait-il, vers un coin ami.

— Aller à Dakar ? redit Yaye Daro, en regardant de nouveau sa fille, bien tendrement. Je ne comprends pas. Toi aussi, tu veux me quitter ? Toi aussi, tu veux m'abandonner ? Comment, tu es seule ? Ne suis-je pas là pour m'occuper de toi, pour te distraire ?

Elle s'interrompit un instant, pour lire sur le petit visage fermé l'effet de son discours : il ne s'ouvrit pas.

— N'écoute pas Rihanna, poursuivit-elle, Rihanna n'est plus ma fille, elle vit uniquement pour son mari. Si tu partais, je n'aurais plus qu'à cesser mon commerce et à me laisser mourir de chagrin. Non, ma petite Maï, non mon cœur, mon souffle. Je suis sûre que ce n'est pas sérieux, je suis sûre que tu ne veux pas partir.

La pauvre mère, serrant sa fille dans ses bras murmure encore :

— Que cette mauvaise pensée quitte ton esprit, Maï, ma petite Maï.

— Je m'en irai à Dakar, s'emporta Maïmouna, le visage dur et la voix sanglotante.

Alors Yaye Daro se mit à pleurer. Les larmes coulaient, coulaient, silencieusement, lourdes et chaudes. Pour la première fois, depuis la mort de son mari, elle pleurait.

Sans pitié, Maïmouna se leva, défigurée, cynique, et gagna l'intérieur de la case.

Maïmouna grandissait trop vite...

Autour de Yaye Daro la nuit fut complète. Altérée, perplexe, elle en oublia la prière du « timis », elle ne vit pas Sirou, le chat sans vergogne, qui vint rôder autour d'elle. Dans sa tête fourmillaient je ne sais quelles idées sur le cruel destin des mères, sur l'ingratitude des progénitures d'hommes, sur l'ironie du sort et sur la vanité de tout en ce monde. Tandis que les ténèbres grandissaient, se pavanaient, en attendant l'éclat irrésistible de la lune, qui n'était pas encore levée, Daro restait immobile, masse lugubre devant une case muette et triste, au milieu du village rempli d'ombres.

Pourtant Maïmouna était une gentille petite fille, pas méchante, au cœur sensible. Elle eut honte de son attitude vis-à-vis de la brave Daro, si dévouée. Dès le lendemain elle s'appliqua à trouver un moyen de prompte réconciliation. Ce n'était pas difficile, il suffirait qu'elle déridât son petit masque sévère et parlât d'autre chose, assez naturellement. Alors la bonne mère Daro, qui était sans rancune, oublierait son chagrin. Leur amitié, un moment ébranlée par cet incident, deviendrait plus douce et en serait comme renouvelée. Et Maïmouna eut vite fait de rétablir la situation — elle se montra active, familière, gourmande, rieuse, même taquine. A tel point que Yaye Daro, encouragée, osa demander quelque temps après :

— Eh bien, Maï, tu veux toujours me quitter pour aller à Dakar ?

— Oh non, mère, mentit-elle, ne pense plus à ça. J'étais un peu folle l'autre jour. Je veux rester à côté de toi.

Mais, fiévreusement, à partir de cette époque, Maïmouna se mit à soigner la brosse de ses cheveux qui remplaçait désormais le beau crâne rasé flanqué d'une touffe de cheveux. Car, lorsque les petites filles noires, par un pacte du sang, échangent avec la nature un vœu de procréation, il était prescrit qu'elles fissent croître leurs cheveux librement. C'était le signe fatidique qui indiquait aux hommes la floraison de leurs futures partenaires.

Sous la poussée hâtive des petites touffes crépues, le volume du crâne de Maïmouna acquérait une rotondité. Rien ne l'agrémentait plus hormis une grosse queue de cheveux lourdement tressée, ornée de louis d'or, et dont le bout mobile tombait sans cesse sur son œil gauche.

Elle la rejetait d'un mouvement brusque de la tête et l'immobilisait en la haussant, d'un geste délicat, à la partie supérieure du front.

A longueur de journée Maïmouna lavait sa brosse, l'étirait, la peignait, l'huilait et la tamponnait doucement avec la paume de sa main. Le produit employé pour dissoudre la poussière et l'entraîner était d'origine végétale. Écrasé dans de l'eau, il donnait un épais liquide gluant, qui dégoulinait de la brosse. La vaseline rendait les cheveux noirs et brillants. A tour de bras, Maïmouna se frottait la tête jusqu'à l'étourdissement. Après le coup de peigne donné sans hâte, elle passait de la pommade parfumée sur ses deux paumes et tassait la brosse en la tamponnant légèrement. Son miroir lui renvoyait alors l'image d'une tête bien soignée, éclairée par deux yeux, où se lisaient déjà tendresse et volupté.

Durant ses occupations ménagères, comme la nuit avant de se coucher, la jeune fille se coiffait d'un foulard solidement noué qui ne laissait dehors que le visage et les oreilles. La brosse était précieuse, le futur monument qui sortirait des mains de la coiffeuse Lala en dépendait. De même que les seins et la croupe de Maïmouna, la brosse poussait, s'épanouissait, s'alourdissait. Une senteur âcre s'en dégageait, sorte de voluptueux parfum, car toutes les filles noires de l'âge de Maïmouna connaissaient la science des racines qui parfument le corps, des poudres végétales qui donnent à la peau plus d'éclat et de relief. Toutes laissaient sur leurs sillages des trainées de senteurs qui affolaient les hommes et excitaient puissamment le désir et l'amour...

Un matin Maïmouna fut très lente à se lever du lit. Elle éprouvait des lourdeurs dans les reins et des douleurs dans la tête. Elle crut d'abord à un engourdissement passager et fit un effort pour paraître au seuil de la case et se livrer aux menus exercices qu'elle accomplissait au réveil. La clarté matinale semblait figée. L'allure des passants et les évolutions de la volaille paraissaient bizarres et vaguement hostiles. Au lieu de commencer sa petite toilette comme à l'accoutumée, Maïmouna attira un banc de bois massif et s'assit au seuil de la case, la tête dans les mains, le regard perdu devant elle. Sa mère, en sortant de la cuisine, la vit dans cette posture et accourut :

— « Qu'as-tu donc, Maïmouna ? Malade ?

— « Oui, Mère, et tout de suite quand je me suis levée du lit.

— « La tête ?

— « Oui, la tête, un peu, les reins beaucoup.

Mère Daro n'en demanda pas plus. Elle quitta la concession et fut absente pendant une demi-heure.

Le soleil était bien visible à présent. C'était le « yor-yor », moment du jour où il n'est ni rose, ni rouge, ni froid, ni chaud, mais où il commence à redonner la vie et l'activité aux gens et aux bêtes.

Les premiers rayons tièdes n'eurent pas le bonheur de soulager Maïmouna. La torpeur où elle avait sombré au début fit bientôt place à un lent vertige, qui semblait accroître le rayonnement de la lumière. Le gloussement des poules et le piou-piou de leurs poussins, l'appel tardif des coqs qui continuaient à s'égosiller, les bruits et les voix les plus familières se transformaient en cris insupportables qui choquaient douloureusement sa tête malade.

Elle fit un effort pour se lever, se coula dans la case et regagna le lit. Là, une fièvre brusque et intense l'envahit. Elle avait froid maintenant, terriblement froid, et ses dents claquaient. Un gémissement venait mourir sur ses lèvres entrouvertes. Ce fut d'abord pour Maïmouna une sensation de tristesse et de mélancolie, plutôt que de réelle souffrance. Sa maladie ne lui causait ni transes, ni abattement. Non, elle éprouvait même un vague bien-être à se pelotonner ainsi dans deux pagnes, à se recroqueviller sur elle-même, le corps chaud, gémissante et rêveuse...

Où était sa mère ? L'idée qu'elle allait revenir chargée de plantes mystérieuses et peut-être de poudres et d'amulettes la consolait un peu et curieusement l'amusait.

Quand Maï l'entendit qui revenait, elle gémit plus fort et ramena ses genoux plus près de son nez.

Yaye Daro enleva doucement les pagnes, posa sa main sur le petit front, palpa les membres et les reins et pria Maïmouna de se tenir sur son séant. Sans rien dire elle enveloppa sa tête de feuillages tendres et longs qu'elle immobilisa avec un foulard. Puis elle employa une sorte d'huile de couleur rouge sombre et d'odeur suffocante, appelée « touloucouna », pour masser le jeune corps malade. L'opération terminée, elle fit coucher Maïmouna et la chargea de quatre pagnes choisis parmi les plus épais.

— Je vais te préparer une tisane, dit-elle, pitoyable.

Puis elle partit. Dans les pagnes, Maï humait presque avec plaisir l'odeur forte du « touloucouna » qui montait, montait, avec la chaleur de son corps. Elle continuait de gémir pour la forme. Elle bougeait dans ses couvertures, elle changeait constamment de position, sa tête coiffée de feuillages.

De nouveau Yaye Daro reparut, tenant une bouilloire fumante.

— Lève-toi, Maï, dit-elle, la voix assurée. Il faut la boire chaude, cette infusion. Maï se leva à moitié, le coude sur le lit, la tête dans la main gauche. Sa mère s'assit près d'elle et versa avec lenteur dans un bol émaillé la tisane chaude. Elle était trop chaude cette tisane, presque brûlante. Impossible, malgré les prescriptions des guérisseuses, de l'avaler ainsi. Yaye Daro l'agita un bon moment avec une cuillère à soupe et l'offrit à Maï. Elle but par à-coups en fermant chaque fois les yeux, parce que cela lui brûlait la langue et le gosier.

— Il faut tout boire, dit la mère. Ainsi tu guériras avant demain.

La petite malade ne prit rien d'autre au cours de la journée. L'appétit lui manquait. Elle demanda à sa mère des mets au tamarin, aux pistaches, aux grumeaux de farine, et auxquels elle ne toucha pourtant pas, tant ils lui paraissaient fades. Elle en voulut à sa mère qui insistait pour qu'elle se forçât à manger.

Il y eut une petite accalmie un peu après le milieu du jour. La fièvre tomba presque, les maux de tête s'apaisaient. Yaye Daro, tout à fait rassurée, en profita pour se souvenir de son commerce et repenser à certaines denrées qu'il lui fallait coûte que coûte trouver avant le lendemain. Car le lendemain, à coup sûr, Maïmouna serait sur pied et les choses reprendraient leur train normal.

Le soleil glissait insensiblement vers la ligne du couchant, créant ce moment anonyme du jour où les êtres sont las, où le repos ne se conçoit pas. On s'agitait dans le village, on allait à ses occupations, sans conviction. Nulle émotion au cœur des gens et des bêtes. Ils avaient oublié les mille espoirs qui éclatent avec l'aube, l'enthousiasme des fraîches matinées, et le soir tardait à venir, le soir qui amène la crainte et les longues rêveries...

Couchée sur le dos, Maïmouna se rendit compte, pour la première fois, que cette case où elle avait toujours vécu était bien sordide, que la paille du toit était trop noire, la charpente bien trop vieille. Cette découverte la révolta et l'indisposa quelque peu. Puis, du même regard dépité, elle parcourut les murs de la case. De simples cloisons en jonc tressé soutenues par des pieux tordus et qui de places en places s'ouvraient, laissant pénétrer des lézards et des gerbes de lumière. Sur le sol, un morceau de calebasse et de vieux sacs que sa mère utilisait pour son commerce. Dans un coin, deux malles grises en bois vulgaire sur lesquelles trônait un énorme panier. Et par ci, par là, des chiffons douteux que sa mère ne se décidait pas à jeter sur le tas d'immondices du village.

Comme la fraîcheur du soir venait avec le déclin du soleil, de grands frissons commencèrent de nouveau à parcourir le corps de Maïmouna. La fièvre se réinstallait. Mais cette fois, il sembla qu'elle fût plus sérieuse. La mère était absente. Maïmouna sentait une crampe à l'estomac et qui montait vers sa poitrine. Brusquement elle eut l'impression que son cœur allait cesser de battre, que sa respiration s'arrêtait. Elle se retourna dans le lit, décidée à opposer la plus grande résistance à l'idée sombre qui l'avait envahie tout entière et d'un seul coup. Mais le malaise ne faisait que grandir, Maïmouna manquait de plus en plus d'air, elle suffoquait. Ah ! l'air pur, si frais, dehors ! Qui allait la porter au dehors ? Sa mère n'était plus là. Personne. Elle fit un suprême effort pour se lever et sortir. Alors un vomissement se déclencha, terrible de brutalité. L'instant d'après Yaye Daro survenait, folle, et s'installa près du corps agité de son enfant, à qui elle immobilisa la poitrine dans ses rudes mains tremblantes. Et elle disait sans cesse « massa, massa » (courage, courage).

Quand le premier vomissement eut cessé, Maïmouna se mit à haleter, le corps baigné de sueur, le cœur éperdu. Sa mère, effrayée, courut appeler par dessus la palissade mitoyenne qui séparait leurs cases, la vieille Raki, si réputée pour sa science et sa sagesse.

Elle s'en vint trottinant, un pagne roulé autour de sa tête et ses épaules.

— Qu'y a-t-il Daro ? sanglota-t-elle.

— Maïmouna, qui « m'étonne ».

Et elle se mit à pleurer, à sangloter assez haut.

— Non, ah ! ne pleure pas, Daro. Crois en Dieu.

Puis, elle s'approcha de Maïmouna et l'examina avec des gestes et un regard immatériels.

— Mais, elle n'a pas grand'chose, dit-elle. Rien que le « sibirou » (paludisme). Tiens Daro.

D'un repli de son pagne la vieille Raki tira une poudre jaune, y posa le bout de sa langue et conseilla.

— Mets cette poudre dans un peu d'eau. Quand Maïmouna l'aura bue les vomissements la quitteront et demain matin elle pourra aller et venir. » Puis elle marmonna une prière, souffla et cracha sur la tête de la petite malade et disparut sans dire adieu.

Yaye Daro veilla toute la nuit, sans nécessité. Sans nécessité car jusqu'au lendemain, il ne se passa rien d'anormal. Maïmouna était tombée dans un sommeil profond, réparateur.

Mais quelles que puissent être la science des vieilles « Mâmes » (1), leurs connaissances pratiques et leurs recettes occultes, l'idée du *marabout et du charlatan* domine les foules. Ils ont avec eux la peur et la suggestion. L'un a bâti son prestige sur l'infaillibilité de certains versets du Coran qui guérissent la maladie, font répudier une rivale dangereuse ou confèrent le succès et la fortune. Il est seul à se concilier le pouvoir de ces versets. Il s'entoure de livres saints, de chapelets aux gros grains. Et pour prouver sa modestie et son désintéressement, il est perpétuellement assis sur une peau de bouc ou de mouton. L'autre arrache leurs secrets aux *djinns* et les fait agir selon sa volonté. Il les convoque et ils arrivent, ils leur parlent et ils tremblent : il les sub-

(1) Mâmes : grand'mères.

jugue enfin et les fait marcher pour ou contre l'homme. Pour ressembler de loin à ce *djinn* d'aspect rébarbatif, le charlatan se couvre d'une profusion de choses qui symbolisent sa science : cornes de chèvre, d'antilope, de buffle, de renne ; bracelets de cuir en nombre incalculable, outres de peau et calebasses pleines, et ferrailles. Dans la grande musette en peau de bête sauvage qui pend toujours à son côté gauche, vous trouverez les poudres de toutes les finesses et de toutes les couleurs, des poudres qui font éternuer et pleurer, ou qui rendent lunatique, maniaque, fou. Vous trouverez aussi des flacons d'eaux noirâtres et fétides, et surtout un énorme goupillon poilu, instrument qu'il emploie pour exorciser les lieux hantés. Demandez tout au Charlatan, sauf la lune, il vous le promettra sur la foi en ses recettes magiques...

Malgré l'effet instantané que produisit la poudre offerte par Mâme Raki, Yaye Daro, au cours de sa veillée, avait décidé d'aller voir Serigne Thierno, le marabout, dès le lendemain. Et le lendemain matin, prétextant une petite course pour envoyer un mot à une de ses voisines au marché, elle sortit et manda auprès du *connaisseur* pour lui annoncer sa visite dans la journée. Serigne Thierno fit répondre qu'il attendait Daro un peu avant la prière du « timis ».

Maïmouna se sentait beaucoup mieux. Elle pouvait se lever maintenant. Elle marcha et s'aventura au dehors. Quel bonheur de revoir le grand espace, les arbres et la volaille toujours bien portante.

Mâme Raki arrivait pour prendre des nouvelles de la petite.

— Non, dit-elle, trop tôt. Rentre dans la case et couche-toi. Elle chuchota avec Yaye Daro, lui glissa quelque chose et s'en alla du même air effacé.

Maïmouna ne retrouva pas son appétit ce jour là, mais elle réussit à avaler une bonne quantité de bouillie de mil alliée à du tamarin et sucrée. Sa sérénité revenait, sa tête et ses pensées s'allégeaient. De nouveau le mirage de Dakar emplit ses yeux...

Vers le moment du jour indiqué par Serigne Thierno, la mère Daro demanda, d'une voix caressante, à sa fille si elle pouvait se permettre une petite absence pour aller trier avec Diodio les marchandises et denrées apportées par le train du matin. Maïmouna acquiesça. Et comme la mère marquait, soit sincèrement, soit conventionnellement, son inquiétude de trouver encore au retour son enfant plus malade, celle-ci la rassura.

— Je n'aurai rien, mère, je suis tout à fait guérie. Tu peux y aller. Je salue Yaye Diodio...

Au moment où Daro frappait à la porte du marabout, celui-ci avait terminé ses ablutions et était retourné à son chapelet, qu'il ne quittait plus, sauf imprévu, jusqu'à la prière suivante.

Ce marabout, entre parenthèse, avait la réputation de ne manger le jour qu'une fois l'an : à la Korité. Tout le reste du temps, il jeûnait. Sauf à la mosquée, on ne le voyait presque jamais. Il s'était enveloppé de nuit et de mystère. La mère Daro dérangea une porte en roseaux tressés, donnant sur un antre à peine éclairé où bougea une forme plaquée sur le sol. Avec des gestes d'une extrême lenteur, Serigne Thierno, sans parler, invita la visiteuse à s'asseoir. Le marabout ne parlait pas tout de suite. La rigueur des dogmes auxquels il obéissait, auxquels il assouplissait son corps, ses organes et son esprit, lui interdisait toute communication avec les hommes du moins par la parole. Il méditait sur des réalités non tangibles qui échappaient à la pauvre Daro, si pieuse, mais si gnorante. On entendait, se heurtant, les grains de chapelet bénis qui servent à compter plusieurs fois par jour le nombre de prières indispensables à la sauvegarde des âmes, au rachat du paradis perdu.

Cela dura-t-il dix minutes ? Un quart d'heure ? Qu'importe ! Lorsque le marabout eut terminé sa muette conférence avec le Très-Haut, il prononça des paroles au sens mystérieux, qui sonnèrent comme une sentence formelle, il roula son chapelet dans ses mains, l'arrosa de crachats et bénit longuement son front presque chauve. Il se tourna ensuite vers la visiteuse et commencèrent les longues salutations d'usage. Petites questions et réponses échangées. Serigne Thierno promena le plat de sa main sur le sable fin de la case, y traça quelques arabesques, en prit une poignée qu'il tendit à la femme en disant dans un mauvais « wolof » (1). « Crache sur ce sable toutes les questions auxquelles tu voudrais une réponse affirmative ou négative. » Puis, il attendit, rêveur.

Daro enferma le sable dans sa main crédule et puis elle cracha trois fois, ce qui indiquait qu'elle posait trois questions. Le marabout réclama la poignée de sable qu'il éparpilla sur les signes cabalistiques précédemment tracés. Un silence angoissant s'ensuivit. Yaye Daro tremblait légèrement de devoir maintenant connaître la vérité, la vérité si nue et si cruelle parfois.

— Les questions que tu me poses sont très simples, en vérité, dit brusquement Serigne Thierno,

(1) Wolof : principale langue du Sénégal.

sans lever la tête. Trois questions : la première, pourquoi ta petite fille est malade ? La deuxième, dois-tu la laisser aller à Dakar où elle désire tant aller ? La troisième, quel sort Dieu lui réserve à Dakar ?

Il leva la tête vers Daro, et l'interrogea du regard. C'était parfait. La pauvre femme n'en revenait pas.

Pour la première question reprit-il, je n'ai rien vu d'anormal. Ni diable, ni sorcier. Tu n'ignores pas que ta fille est devenue femme il y a quelque temps ; elle est à un tournant critique de sa jeunesse. C'est tout. Sa maladie est un simple accès qui va passer, qui est passé.

Une pause.

— Cependant, je te donnerai un talisman pour la garantir contre le « beut » et le « tiat », car sa beauté est précoce et déjà plusieurs langues nomment cette beauté. Par ailleurs, tous les yeux qui regardent ta fille ne répandent pas le même fluide.

Yaye Daro respira :

— Pour la deuxième question, continua le Marabout, je vois que tu hésites à laisser partir ta fille pour Dakar. Tu n'as pas tort... Une pause.

— Mais il le faut pourtant, autrement elle tombera souvent malade entre tes mains. Déjà elle a beaucoup changé, son désir la tourmente : elle est trop jeune pour comprendre. Laisse là y aller quelque temps, après on verra.

Une pause.

— Je peux, toutefois, te donner, en même temps que le talisman, du « safara » (1) destiné à lui faire perdre son idée. Tu verseras ce produit dans un aliment qu'elle doit manger, je ne te garantis pas tout

(1) Safara : eau bénite.

de suite le succès... Dieu seul peut exaucer mes vœux. Il se tut un moment et termina :

— Quant à la troisième question, je vois que ta fille sera bien reçue par sa sœur et ceux qui vivent avec sa sœur. Tout le monde voudra faire sa connaissance, mais elle devra se méfier. Je vois que cette ville est très grande et qu'on y peut amasser autant de biens que de maux. Tu diras à ta fille aînée de suivre ta fille cadette, pas à pas. Et je crois que tout ira bien pour la plus jeune ».

Yaye Daro voulut poser ouvertement d'autres questions, mais le marabout sourit et la pria de l'excuser, disant que l'heure de la prière approchait. Yaye Daro pourrait revenir le lendemain chercher le talisman et le « safara » promis.

L'heure de la prière approchait...

Le voile de la nuit caressait de ses plis encore incertains les maisons et les places. Les campagnards, en longues files inégales, fuyaient le bourg sans asiles et, par les routes, s'enfonçaient dans la nuit commençante vers leurs lointains villages.

Du Marbath (1) descendaient les dioulas, des intermédiaires, les placeurs, tous métèques adroits et râblés ayant fondé des familles prospères sur la bêtise du prochain. Les places étaient désertées où, à longueur de journée, les vieillards aisés et les jeunes oisifs impénitents ressassaient des thèmes invariables ou jouaient aux dames en misant. La foule des rues s'égaillait, tournant court pour avoir gagné la concession amie avant la chute brutale de l'ombre, redoutée pour les génies qu'elle porte en ses plis.

(1) Marbath : marché au bétail.

## CHAPITRE VI

Pauvre Daro ! La beauté des jours sans souci fuyait devant elle. Le bon naturel de sa fille avait brusquement tourné. Elle songeait pourtant qu'en sortant de sa maladie la gaie Maïmouna retrouverait bien vite son humeur. Mais non, elle devint au contraire plus sombre et plus triste. Sa mère avait beau la cajoler, essayer de la distraire ; elle avait beau fredonner autour d'elle les chansons du passé, évoquer l'épopée des grands guerriers d'autrefois, les randonnées célèbres, la jactance des « bandakats », (1) Maïmouna semblait absente. Aux questions que sa mère lui posait elle répondait sans empressement et sans aucune nuance dans la voix. Des raisonnements niais emplissaient sa jeune tête. Elle attribuait ses maladies à cette commune pauvreté où sa mère et elle vivaient. Ni joie, ni confort.

Quelle différence entre sa case et la maison en pierre de la petite Alima ! Elle avait honte de faire la comparaison. Chez Alima il y avait trois ou quatre pièces garnies chacune de meubles toujours neufs et brillants, des lits à boules de cuivre, des armoires à glace et des buffets. Chez Alima on s'éclairait à l'électricité, les griots et les guitaristes y faisaient souvent visite. Tandis qu'elle, Maïmouna, elle de-

(1) Bandakats : danseurs et troubadours sénégalais.

vait se contenter de cette case misérable et inconnue, à côté d'une mère que rien, en dehors de son commerce, ne pouvait intéresser ; elle devait chaque jour se coucher en même temps que les poules et se réveiller sans aucune perspective séduisante. Ces nouvelles idées gonflaient son cœur de chagrin et d'amertume. Elle ne pouvait les chasser, elles étaient trop réelles, trop vraies.

Un jour, la crise étant plus forte que d'habitude, elle éclata en sanglots au milieu du repas de midi, constitué ce jour là par un peu de semoule bouillie, sans lait — la vie était si dure, on ne pouvait pas tous les jours manger ce qu'on voulait... Et comme Yaye Daro, interloquée, ouvrait la bouche pour demander la cause de ces larmes, Maïmouna éclata d'une voix méchante, jusque là inconnue :

— « Ne me demande pas pourquoi je pleure, tu le sais. Je suis bien trop malheureuse. Je vis dans cette case délabrée quand mes compagnes se réveillent dans des maisons en pierre ou dans de belles baraques. Je suis la plus mal habillée, la plus mal nourrie du village. Je suis reléguée dans ce trou quand toi, tous les matins, tu t'empresses d'aller au marché. On ne connaît ni mon père, ni ma mère. Quand, dans une réunion, on encense les grands-parents des gens connus ou honorés, je suis oubliée. Je ne veux plus rester ici à vivre dans cette case, à manger des aliments que je n'aime pas, à tomber malade et à maigrir. Je m'en irai, je m'en irai ».

Destinée d'une mère, de toutes les mères. Que Maïmouna eût plaidé gentiment et poliment pour ce séjour qu'elle voulait faire auprès de sa sœur aînée, on ne l'eût point blâmée. Mais qu'elle reprochât à Daro sa pauvreté, qu'elle méconnût tous les efforts, les sacrifices et les privations que la brave femme s'imposait pour l'amener au rang de fière demoiselle, voilà qui était inadmissible.

Daro ne souffla mot. Elle baissa la tête devant sa fille arrogante, fit mine de continuer à manger, puis se leva et sortit. Maïmouna n'avait pas bougé de sa place. Daro ne tarda pas à revenir accompagnée de Mâme Raki, dont l'œil malin fouilla aussitôt le visage hermétique de la jeune fille.

— Mâme Raki, commença Daro sans ambages, je vous ai fait venir, vous me pardonnerez, pour juger du cas de cette enfant ingrate. J'ai cru pendant longtemps que ses larmes étaient dues à des chagrins d'enfant. Mais elle vient encore de pleurer et elle m'a dit sur un ton de grande personne des vérités à elle qui m'enlèvent mon cœur de mère. Je veux lui prouver que cette commune pauvreté qui lui arrache des larmes n'est pas l'œuvre de Daro. »

Mâme Raki intervint. Il ne fallait pas que Daro se laissât emporter par la colère. Il y a des choses qu'il est bien inutile de dire à une fille de cet âge.

— C'est que Maïmouna n'est plus une enfant, Mâme Raki, du moins elle ne se prend plus pour une enfant. Je veux lui apprendre que les maisons en pierres et les belles baraques sortent des mains de l'homme et rarement des mains de la femme honnête ; que depuis la mort de son père, si j'ai refusé de me remarier pour rester la pauvre marchande que je suis, debout à l'aube, couchée avec le soleil, jamais bien habillée, jamais coiffée, c'était pour sauvegarder son honneur de petite orpheline, et lui préparer un bien futur acquis honnêtement du travail de mes bras.

— Tu permets un peu », coupa Mâme Raki, et

se tournant vers Maïmouna : « Dome (1) soupira-t-elle, tu as jeté au cœur de ta mère un immense chagrin. Or, tout fils d'Adam N'Diaye (2) doit éviter de faire pleurer sa mère, surtout quand cette mère est aussi dévouée, aussi honnête que la tienne. Daro est la seule veuve du bourg qui puisse lever haut la tête. Elle pouvait abandonner sa case pour aller s'imposer à Rihanna et vivre des biens de son mari, plus facilement et plus luxueusement. Elle a préféré, par fierté, demeurer ici, dans cette concession qui vous a vues naître toutes les deux, toi et Rihanna. Qui pourra te reprocher plus tard d'avoir mangé son cous-cous ou arboré ses bijoux ? Voilà ce que tu n'aurais pas dû perdre de vue, tout enfant que tu es. N'as-tu pas honte que plus d'un apprennent ta conduite de ce matin ? Allons, avant que je parte, je veux que tu viennes t'agenouiller devant ta mère et lui demandes pardon. »

Maïmouna ne bougeait pas. Son visage s'était altéré, on sentait que le remords la remuait jusqu'aux entrailles. Mais son orgueil l'empêchait de s'abaisser et de demander pardon. De guerre lasse Mâme Raki se retira après avoir laissé entendre à Maïmouna qu'elle n'était qu'une petite ingrate et qu'elle avait trompé les espoirs que tout le monde fondait sur son caractère et son avenir.

Destinée d'une mère, de toutes les mères vouées à l'abandon, qui se tuent pour élever des fillettes graciles, fruits de leur amour le plus ardent et le plus pur.

Et Yaye Daro d'écrire immédiatement à Rihanna.

(1) Dome : ma fille.
(2) Adam N'Diaye : chez les Sénégalais le nom de N'Diaye remonterait aux origines les plus reculées et même Adam, le premier homme aurait porté ce nom.

Elle en avait pris son parti. Maïmouna s'en irait, puisqu'elle tenait à partir.

*Louga, le* 13 *mars* 193...

*Ma chère fille Rihanna,*

« *A la fin du mois, au reçu de ta lettre et du mandat, je n'ai pas voulu répondre tout de suite. J'avais envie de te dire quelque chose et je n'étais pas sûre d'avoir l'occasion de te le dire. Maintenant j'ai cette occasion.*

« *Ta sœur Maïmouna est décidée à venir te rejoindre. Elle ne veut plus que cela, elle pleure le jour et la nuit. Dernièrement, elle est même tombée malade, assez gravement. Maintenant elle est tout à fait rétablie, Dieu merci. Dis-moi donc si tu tiens toujours à la recevoir auprès de toi.*

« *Je sais que si son désir n'était pas satisfait elle se languirait trop et tomberait souvent malade entre mes mains. Mon marabout me l'a dit. Mon marabout m'a encore dit « Tu diras à ta fille aînée de suivre ta fille cadette pas à pas. » J'aurais voulu avoir Maï toujours à côté de moi. Mais je préfère son bonheur et le tien. Mon commerce me tiendra compagnie.*

« *Tout va bien chez nous. Je te quitte ma chère fille, en te renouvelant mes remerciements. Je ne taris pas de bonnes prières pour que ton mari et toi viviez longtemps et toujours très heureux.*

*Bonjour à Bounama.*

*Daro Dièye.*

Cette lettre fut écrite et postée à l'insu de Maïmouna. Quelques jours plus tard sa mère lui en parla sur un ton naturel d'avertissement.

— Tu sais, Maïmouna, j'ai écrit à Rihanna. Tu iras à Dakar d'ici peu. Ainsi, ton désir va s'accomplir. Tu peux d'ores et déjà préparer tes petites affaires.

La jeune fille ne sut que répondre. Elle n'eût pas su non plus dire ce qu'elle éprouvait. Joie ou douleur ? La décision imprévue et brutale de sa mère, qui ne l'avait même pas consultée au dernier moment, n'était pas de nature à produire l'effet d'une surprise agréable. Elle comprit vaguement que Yaye Daro s'était détachée d'elle. Finies cette tendresse, ces câlineries de chatte à chaton. La logique, chez la mère, prenait le pas sur les sentiments égoïstes, inopérants. Il était logique, n'est-ce pas, que Maïmouna, devenue grande, demandât à s'en aller ? Logique et même très humain qu'elle voulût vivre d'une vie plus large et plus belle.

Quelques heures de chagrin et de réflexion avaient-elles donc suffi à la brave Daro pour refouler entièrement son amour et se pénétrer d'une philosophie nouvelle ?

Il semble qu'elle se laissa profondément gagner par l'idée qu'elle n'avait plus personne au monde, plus rien au monde, sauf l'amitié de ses voisines, si possible, et leur dévouement. Confiante, elle songeait que le jour de sa mort, si solitaire que fût cette mort, il y aurait toujours quelqu'un du village pour l'assister. Dieu merci, son âge n'était pas si avancé et sa santé demeurait excellente.

Cette nouvelle attitude froide et raisonnée, apparemment sans rancune, désarçonna la jeune Maïmouna. Elle se voyait maintenant traitée en grande personne, avec un certain respect, par sa mère. Elle pouvait méditer à loisir, chanter ou se taire, soigner sa brosse ou la laisser en broussaille. Personne ne lui disait plus :

— Ah bien, Maï, qu'as-tu donc ce matin ? Déride-toi, parfume tes cheveux...

La peur s'empara bientôt d'elle, la peur d'aller à Dakar. Où était Dakar ? Elle y serait une nouvelle venue. La vie auprès de sa mère Daro n'avait-elle pas été constamment simple et douce ? Quelles surprises lui réservait ce changement d'existence ? Elle eut peur comme quelqu'un qui va quitter des choses qu'il ne reverra jamais plus. La concession, le village, les rues du bourg, le bourg tout entier changeait tout à coup d'aspect. Tout devenait poétique à ses yeux. Il semblait qu'il y eût entre elle et les choses de son pays des liens très forts et pourtant fragiles, qui allaient se rompant à mesure que son départ approchait. Elle devint mélancolique, et regretta son entêtement puéril. L'ignorance de la date exacte de ce départ l'angoissait. Ce pouvait être demain, ou dans une semaine, ou dans un mois. Elle n'osait, à ce sujet, poser à Yaye Daro une seule question, de peur que cette question ne l'indisposât et qu'elle ne dît brusquement : « Eh bien, tu partiras demain ».

Maïmouna, la pauvre Maïmouna ! Dans le fond, elle ne voulait plus quitter sa bonne mère Daro...

Une nuit noire. Elles étaient couchées depuis longtemps. Mais elles ne dormaient pas.

Deux ombres blanches se glissèrent dans la concession, hésitèrent et s'arrêtèrent devant la porte de la case. Elles parurent se concerter à voix basse. La lampe à pétrole clignotait à l'intérieur. Sa lumière filtrait à travers les interstices de la case. Alentour, le silence. A peine si la volaille, dérangée par cette incursion nocturne, avait jeté quelques cris d'alarme.

L'une des ombres, la plus hardie sans doute, heurta à la porte trois coups timides. La voix de Yaye Daro se fit aussitôt entendre :

— Qui est là ?

Un petit silence.

— C'est nous !

— Vous qui ?

Un autre petit silence.

— C'est moi, Doudou Khary.

— Et que voulez-vous ?

— Nous cherchions Maïmouna.

— Que lui voulez-vous ?

— Nous passions pour la saluer.

— Maïmouna est couchée.

— C'est bon, alors nous reviendrons demain.

— Ne revenez pas demain. Maïmouna ne reçoit pas d'homme. Elle est encore trop jeune... Restez chez vous et laissez la tranquille. »

La mère Daro entendit des pas et des rires qui s'éloignaient. Un silence complet succéda à ce petit événement. Et la nuit continua de couler, épaisse et noire comme d'une urne.

Le lendemain matin, même programme que d'habitude.

Yaye Daro partie, Maïmouna se mit à chanter pour se donner une contenance, à chanter sans fin des mélopées de lutte hardies et sonnantes, des chants de « ndeup » évocateurs de génies et de diables, et des cantiques de mariage, qui développaient le thème classique des séparations poignantes. Un monde défunt revivait dans ces airs désuets mais émouvants.

Et voici qu'en plein jour les deux jeunes hommes pénétrèrent dans la concession. Des adolescents, les deux ombres blanches de la nuit passée.

— Bonjour Mouna, dit l'un.

— Sais-tu que ta mère nous a chassés hier, et honteusement même ?

— Arrivez, dit Maïmouna. Je vous avais pourtant bien dit de ne pas venir à la maison quand ma mère est là.

— On ne la croyait pas si sévère. Bah ! Toutes les vieilles personnes sont les mêmes. On leur pardonne.

— Que m'avez-vous apporté de beau ou de bon ?

— Nos propres personnes.

Ils étaient entrés et ils s'étaient assis, sans pudeur, sur le lit de Yaye Daro. Maï se tenait entre les deux adolescents. L'un se mit à vanter la brosse et le cou de la jeune fille. Elle se défendait mollement, par respect humain.

— Tu es trop seule par ici, Maï plaignit Doudou-Khary. On ne te voit nulle part. Toujours derrière ta mère besogneuse. N'as-tu pas cessé de têter ?

Ils rirent tous trois de cette boutade. Il était gai ce Doudou-Khary, vraiment gai.

— Je m'en vais bientôt à Dakar, lança Maï, comme une flèche directe au cœur épris des deux adolescents.

— Aller à Dakar ? Tu plaisantes. Et pourquoi y faire ?

— Je vais rester auprès de ma sœur Rihanna.

— Allons donc ! Reste ici. Dakar est une ville dangereuse. Est-ce possible ? Aller à Dakar, quand nous venons juste de faire ta connaissance !

— C'est ma mère qui le veut, mentit Maïmouna.

— Déconseille-la. Dis lui que Dakar a une sale réputation et que tu préfères rester simple fille de l'intérieur. »

Chacun plaide pour sa paroisse. C'est la lutte pour l'amour ou pour la vie.

Cette révélation, en tout cas, découragea nos jeunes cavaliers. Ils rattrapèrent cependant, assez facilement, le ton naturel de la conversation galante. Pour la première fois la case de la mère Daro entendait des propos d'amour et des éclats de voix si jeunes et si frais.

Les jeunes gens s'en allèrent après une demi-heure de causette, non sans dire à Maïmouna, en partant :

— Et surtout abandonne la sotte idée d'aller à Dakar.

— Reste ici avec nous au beau pays du N'Diambour.

Mame Raki avait vu entrer et sortir les jeunes gens. Quand Daro revint elle s'empressa de lui raconter l'événement. Quelle affaire ! Que ne voyait-on pas de nos jours ! Si jeune et si précoce en amour !

— Soyez tranquille, Mâme Raki, je prépare son départ pour Dakar dit simplement la pauvre Daro de plus en plus mortifiée.

## CHAPITRE VII

L'univers entier était en partance pour Dakar. L'air était rempli de sirènes de locomotives et de vibrations poétiques qui étaient comme un prélude à ce voyage grandiose que Maïmouna allait accomplir. Les nuages qui passaient, dociles et lents, à travers le ciel muet, le vent du matin et du soir et les tourbillons soulevés par les trous de chaleur, tout semblait glisser vers Dakar. Le train apportait chaque jour des foules dont les toilettes claires faisaient des taches dans le cadre rustique du N'Diambour. Maïmouna les regardait passer avec une tendresse mêlée de pitié. Pour elle, il était inconcevable qu'on pût aller ailleurs qu'à Dakar.

L'existence dans la brousse n'était qu'un perpétuel et pénible recommencement. Les hommes s'y livraient à leurs piteux destins, toujours debout et toujours esclaves d'occupations terre à terre. Pour une âme si jeune qui allait s'ouvrir aux beautés du monde, ce train prosaïque des choses était un perpétuel motif de révoltes intérieures.

D'ailleurs la bonne saison finissait peu à peu emportant l'espoir des belles journées tièdes. Les digestions allaient devenir lourdes, les pensées plus pesantes encore et les obsessions mortelles. C'était le moment où jamais de partir. Les plaines jaunissaient, mornes et brûlantes sous le soleil de midi. Aucune brise ne caressait plus les arbres. Partout, torpeur et vie alanguie ; seuls les vieux cerveaux trempés et retrempés à tous les bains de l'Ennui pouvaient encore glaner dans l'espace vide et immobile une inspiration religieuse et un peu de mélancolie bienfaisante.

— Ah ! ma douce petite Maïmouna, ma fille bien-aimée, c'est donc vrai que tu pars après-demain ? dit Daro. Ah Dieu, la vie n'est donc que très peu de chose. Etre ensemble ou se séparer, tout cela n'est donc rien ?

Maïmouna fondit en larmes et se mit à hoqueter. .

***

Le départ pour Dakar fut déchirant.

De bon matin la mère astiqua et habilla sa fille qui s'était déjà noirci les pieds et les mains de henné au cours de la semaine passée. La mère accrocha les bijoux au cou, aux oreilles et aux cheveux de son enfant, vérifia le contenu du panier et, par deux fois, y ajouta quelque chose. Elle s'assura que les gris-gris et les amulettes pendaient au corps de Maïmouna. Puis, ce fut le chemin de la gare avec des arrêts à chaque rencontre pour expliquer le but de ce voyage.

« Ah ! ndeï sane » (pitié), disait-on en se séparant d'elles.

Maïmouna marcha vers la gare d'un pas mal assuré, presque en titubant, gênée par ses babouches neuves, auxquelles elle n'était pas habituée. Elle marcha comme une automate, inconsciente de l'importance de ce moment de son existence.

Elle ne voyait ni n'entendait précisément rien.

La gare, à leur arrivée, présentait un succulent

désordre. Des manœuvres en haillons noirs poussaient des diables chargés de marchandises dans les jarrets des badauds et des voyageurs qui attendaient le train. Des gamins nus se faufilaient, rapides et sournois, parmi les boubous flottants. Des soies s'étalaient à côté de loques sordides et poisseuses, de belles valises et de grands paniers veinés de rouge voisinaient avec des outres de lait caillé d'où montait une odeur suffocante. Des appels sonores, des crissements de roues déchiraient l'air déjà surchargé de bruits discordants.

Au guichet, tout un peuple déguenillé, borné, sans éducation, se bousculait, s'invectivait avec véhémence. Yaye Daro eut du mal à acheter un billet pour Maïmouna et deux billets de quai pour elle-même et Mâme Raki. Mais elle y réussit, ayant l'habitude des mêlées.

Le train arriva dare-dare, souffla, ralentit, puis s'arrêta en râlant. Les voyageurs qui attendaient se précipitèrent sur les wagons sans donner à ceux qui arrivaient le temps de descendre. Ce fut de nouvelles bousculades, de petites disputes, puis tout le monde arriva à se caser.

Dans le wagon de troisième où elle lui avait retenu une place, Yaye Daro fit ses dernières recommandations à Maïmouna. Puis, elle leva la tête comme pour se recueillir et deux grosses larmes coulèrent sur ses joues. Elle se détourna pour les essuyer. Au même instant, le cœur de la jeune fille connut une angoisse sans bornes et elle éclata en sanglots. La mère sut dominer sa peine. Tendrement, elle se pencha sur Maïmouna :

— Maï, dit-elle, ne pleure pas. Nous nous reverrons bientôt ; je viendrai à Dakar rester avec vous une semaine.

— Eh, la mère, descends maintenant, le train va partir, lança une voix charitable à Yaye Daro. Elle descendit précipitamment et alla se poster à la portière du côté où se trouvait sa Maï. Mâme Raki s'approcha en riant de peur.

— Maï, donne la main gauche à Mâme Raki.

Maï se leva, avança la tête, le buste et le bras hors de la petite portière.

Alors, on entendit une longue note de cigale que suivit un cri plus ample et plus déchirant. Puis un remue-ménage de ferrailles entrechoquées et le train se traîna lourdement.

Yaye Daro fondit en larmes et Maïmouna disparut derrière la petite fenêtre du wagon.

Le destin venait de passer par là...

Dès qu'elle eut quitté la gare Daro, soutenue par la présence de Mâme Raki, retrouva bien vite son courage. Elle courut à la poste et envoya un télégramme à Rihanna.

« Attendre Maïmouna par régulier ce jour. »

Puis, en compagnie de la vieille, elle reprit le chemin de sa case désormais vide. Elles épiloguèrent sur le départ de Maïmouna.

— C'était peut-être mieux ainsi. Maïmouna devenait grande et difficile à surveiller, surtout quand on passe ses journées au marché.

A Dakar, somme toute, elle apprendrait davantage que si elle était restée à Louga.

Et puis le monde changeait tous les jours ; il fallait en convenir ; elles étaient trop vieilles pour comprendre les besoins des jeunes.

Cela suffisait à consoler la malheureuse Daro.

Maïmouna, de son côté, oublia assez vite le chagrin du départ. La misère des séparations se ressent au moment du départ et quelque temps après l'arrivée.

En route il y a des choses qui distraient et qui charment : Dans le wagon, c'est la gaieté, les rires et les cantiques religieux entonnés à pleine gorge. Personne n'a le temps de pleurer. Le cœur roule avec le matériel, les pensées vibrent et prennent des ailes...

— Quelle est cette chose immense et bleue ? dit Maïmouna en pointant un index rose et fin ? Un voyageur se pencha et s'étonna :

— Comment « diahn » (1) tu ne le sais pas ? Mais c'est la mer ! Tu n'a jamais vu la mer ?

— Jamais, dit-elle, le regard sur cette chose bleue et mouvante dont elle n'entendait pas encore le bruit.

La mer ! C'était ça la mer. On était dans les environs de Rufisque.

Et voilà Dakar, « Ndakarou-Dial-Diop », comme l'appelaient les vieux noirs du bon vieux temps.

C'était à perte de vue comme une chaîne de coquillages cristallisés qui endiguait la mer et la dominait, tordue en demi-cercle. Ce point semblait être le bout de la terre, car le train y arrivait le soir après une journée de marche et le soleil s'y couchait rouge-sang.

Ça une ville ! ce n'était pas possible. Un monde ! Le mot de Doudou-Khary passa comme un éclair dans l'esprit de Maïmouna. « Dakar est une ville dangereuse ». En attendant, elle lui paraissait énorme et monstrueuse. Elle eut vaguement peur de se perdre là-dedans. Rihanna serait-elle à la gare pour la rencontrer ?

Le train avait tant musé et zigzagué qu'en fin de compte on ne voyait plus Dakar, mais un pays

(1) « Dianh » : jeune fille.

de baobabs et de filaos, un pays quelconque, qui paraissait inhabité. Mais non, la mer reparaissait de nouveau là-bas, tout là-bas.

Maintenant le train se traînait avec une lenteur désespérante, criait sans cesse, limant ses roues contre les rails. Quelques villas isolées, de longues cheminées flanquées d'immenses réservoirs, des routes goudronnées apparurent, et le bruit chaud du cœur de la ville impériale happa le régulier. Il entra dans la gare avec un empressement juvénile et stoppa avec douceur.

Rihanna attendait sur le quai entourée d'un brillant état-major : une demi douzaine de femmes et de jeunes filles endimanchées se dirigèrent vers les wagons de première. Rien. Elles progressèrent vers ceux de seconde. Rien. L'orgueil de Rihanna ne lui permettait pas de supposer que sa propre sœur pût voyager en troisième. Maï languissait à la portière de son wagon. La foule, sur le quai, était trop dense pour qu'il lui fût possible d'apercevoir Rihanna et son état-major.

Un jeune homme bien habillé arriva bientôt vers Rihanna et dit :

— Eh : la sœur, il y a une jeune fille qui vous réclame dans le wagon que voilà. Je vais vous la montrer.

La bande se fraya un chemin à travers la foule des voyageurs et arriva.

— Yé, voilà Maï, lança joyeusement la belle Rihanna. Descends. Hé toi là, aide-là à descendre, dit-elle en s'adressant à un homme qui se tenait sur la plate-forme.

L'homme donna la main à Maïmouna qui descendit avec mille précautions.

Rihanna l'attira dans ses bras. Le panier et les

petites provisions achetées en chemin furent descendus.

— Donne la main à tout le monde.

Les suivantes de Rihanna firent des salamalecs à Maïmouna, tout en remarquant pour elles seules que la petite était un peu broussarde, malgré sa beauté et la finesse de ses traits.

En sortant de la gare Rihanna, Maïmouna et la suite montèrent avec des airs dans deux taxis qui les attendaient. Moins de cinq minutes, on était rue Raffanel, devant une grande maison à la porte ogivale. L'État-major gagna une vaste salle aménagée en salon mi-européen, mi-arabe, tandis que Rihanna entraînait Maïmouna dans sa chambre pour la toilette.

La sœur aînée demanda sommairement des nouvelles de leur mère, en attendant de parler d'elle à loisir quand le monde s'en irait.

— Pour aujourd'hui, dit-elle, pas moyen de te changer complètement, elles nous attendent. Mais tu vas voir, je ferai de la petite Cayorienne une petite Dakaroise. Du reste, tu n'es pas si mal que ça. Tiens, un peu de poudre et du parfum. Pas de noir, c'est vilain chez une jeune fille. Attends que j'arrange ta brosse. Enlève tes boucles et mets celles-ci. Voilà une chaînette qui t'ira à ravir.

Quelle prévenance ! Mon Dieu, la vie s'annonçait déjà bien plus belle. Quand elles s'en vinrent trouver les amies de Rihanna, qui attendaient au salon, la beauté de Maïmouna avait décuplé. Chacune lui demanda des nouvelles de sa maman et lui posa des questions par protocole. Elle répondit timidement en baissant la tête. Puis Rihanna et ses amies entamèrent une causerie sur les événements de Dakar qui les intéressaient. Comme elles parlaient aisément !

Leur degré d'émancipation étonna Maïmouna et la charma. C'étaient de vraies femmes du monde.

Elles décidèrent brusquement de rentrer, trouvant que Rihanna avait sans doute besoin d'être seule avec sa sœur cadette, qu'au surplus cette dernière devait être rompue par un voyage de douze heures. Elles prirent congé après avoir serré la main de Maïmouna et promis de passer la journée du surlendemain avec elle. Car le surlendemain était un dimanche.

A l'entrée de la maison, elles rencontrèrent Bounama qui revenait du bureau, pressé de voir sa belle-sœur. Bounama, le mari de Rihanna. Elles le plaisantèrent à qui mieux mieux, le tiraillant, fouillant dans ses poches. Il réussit à leur échapper sans dommage.

— « Tiens, dit-il, quand il se trouva devant sa belle-sœur. Mais tu as grandi Maï, une vraie jeune fille maintenant. Donne-moi la main. Ta mère se porte-t-elle bien ? As-tu fait un bon voyage ? Es-tu contente de venir à Dakar ? Tiens, tiens...

Puis il disparut vers son cabinet de toilette.

Les deux bonnes de la maison observaient Maïmouna à travers les jointures de la porte.

Mais, là-bas, dans le bourg de Louga, la présence de Maïmouna régnait encore.

Comme dit le conte, « avant de s'en aller la belle Fatou exécuta l'ordre donné par le cheval protecteur en crachant un peu partout dans la case. Et lorsque le mari-lion entra bredouille de la chasse et se mit à hurler des appels, les crachats répondaient à la place de Fatou, et, bien qu'elle fût absente, sa présence se révélait partout ». Ainsi la présence de Maïmouna hantait la case de Yaye Daro. Le moindre objet parlait d'elle, le trapèze de glace, le canari qu'elle seule remplissait d'eau, Nabou, la « dome », se souvenaient. Voici Yabb le canard et voici les poules qui attendaient la becquée du soir. Ils semblaient pousser des cris d'inquiétude et de deuil.

Le soir tombait quand Yaye Daro rentra ce jour là du marché. La porte de la case était close, la cuisine fermée. Elle déposa sa charge, jeta un long coup d'œil circulaire et soupira. Puis, chassant ses tristes pensées, elle ouvrit la case, s'affaira un moment dans la cuisine et alluma le feu.

Par dessus la palissade mitoyenne, une voix flûtée et fêlée monta :

— C'est toi, Daro ?

— Oui, Mâme Raki.

— Ah, bon. Parce que je veille sur la maison depuis que Maïmouna n'est plus là pour tout garder.

— Merci, Mâme, viens donc faire une petite causette tout à l'heure.

— Entendu, Daro.

Pourquoi avoir prononcé le nom de Maïmouna ? Au fait, elle n'était plus là. Daro ne voulait pas trop penser à cette absence. Comme certains enfants qui trouvent leur bonheur dans l'illusion provoquée, elle voulait se persuader que Maïmouna était là, à portée de sa main, que c'est elle, Daro, qui avait voulu qu'elle s'en allât — oh, pas pour longtemps — goûter quelques jours de vacances. Qui ne voyageait pas ? Tout le monde voyageait. Tenez, sa voisine de quartier, la pauvre Antiou, venait de perdre son fils à la caserne et sa fille l'avait quittée pour suivre un aventurier. N'était-elle pas plus malheureuse que Daro ?

Elle se mit avec plus de courage à préparer le repas du soir. Elle était presque gaie et chantait, cassant bruyamment le bois sec, soulevant sans cesse le couvercle de la marmite où gargouillait une sauce au fumet appétissant. Mais quand vint le moment de plonger le riz lavé dans la sauce diluée, l'idée de la quantité à mettre réimposa celle de Maïmouna. Tant pis, elle mettrait deux rations et Mâme Raki lui tiendrait compagnie. Bien sûr, elle pouvait manger seule, mais la vieille était si gentille, si dévouée. Il était bon qu'en retour Daro lui marquât de temps en temps son amitié et sa reconnaissance.

Toutes deux dévorent le mets si réussi ; leur estomac était encore solide, Dieu merci.

Puis ce fut un long échange de nouvelles, de propos tantôt sérieux, tantôt enjoués. Le bourg fournissait toujours assez de matière à triturer : des deuils à déplorer à grand renfort de soupirs, des naissances à suspecter, des conduites à blâmer et beaucoup de menues choses pas bien propres à flétrir au nom d'une sainte morale que l'on se bornait le plus souvent d'évoquer. Le monde n'était jamais en équilibre, sa fin approchait à en juger par la dépravation des mœurs, le manque de vergogne de la femme et la lâcheté des hommes. La méchanceté fleurissait comme une plante inutile, le cœur de l'homme se gangrenait de haine et de jalousie. Il fallait se méfier de tout, même de soi-même.

Propos de vieilles ne furent jamais plus sombres que ce soir-là.

Il était assez tard quand Mâme Raki put obtenir de se retirer. La fraîcheur du soir commençait à se déposer en fines gouttelettes sur les surfaces polies, invisibles. Le village s'était tu. L'aboi des chiens mal éduqués prenait de la profondeur. Dans le feuillage massif des arbres, des oiseaux inconnus vrombissaient des cris rauques et s'esclaffaient comme ne le font peut-être jamais de vrais oiseaux.

Yaye Daro ferma sa porte et arrangea le lit, non sans remarquer, malgré elle, le petit creux que marquait fidèlement la place de Maïmouna. Superstitieuse, elle alla chercher Nabou, la dome faite de chiffons, et la coucha dedans.

En dépit des fatigues de la journée accrues par les émotions et la demi-veillée faite en compagnie de Mâme Raki, elle ne parvint pas à s'endormir.

Elle entendit se dérouler toute la gamme des bruits nocturnes. En vain essayait-elle de chasser de son esprit, pour lui imposer le sommeil, des idées vaines et obsédantes.

Maïmouna était partout présente. Elle entendait ses pleurs de bébé, elle la revoyait marchant à quatre pattes et mangeant le sable par poignées. La voilà gamine folâtrant comme un mange-mil et difficile à retenir.

Puis elle la revoyait un peu plus grande, un peu moins diable, à l'âge où les petites filles noires ne portent qu'une touffe de cheveux sur le sommet de leur crâne rasé.

Ce n'était pas un rêve, mais une longue mémoire qui égrenait tous les portraits de Maïmouna, jusqu'au seuil de sa puberté.

Elle était partout, comme Fatou du bon vieux conte, dans la case de son mari-lion.

# DEUXIÈME PARTIE

## CHAPITRE VIII

Un soleil tout neuf se leva sur Dakar. Un soleil nouveau qui ressemblait vaguement à celui du N'Diambour. Il sortait d'un des bords de la mer au-delà d'une ligne rose blanc qui s'étirait à l'infini. Il parut d'abord se douter de quelque chose, car il suspendit longtemps, longtemps, son disque d'argent à la même place, au-dessus des flots. Etait-ce la venue de Maïmouna qui l'intriguait ? Car les choses sont certainement sensibles à des événements aussi grandioses. Les astres surtout, eux qui mènent la destinée des hommes, qui font et défont les marées et changent parfois l'humeur des jeunes filles.

Le soleil regardait avec insistance la rade et sa forêt de mâts, et la citadelle de Gorée qui flottait sur l'eau.

Rien cependant n'avait varié dans le décor auquel il était accoutumé. Les quais grouillaient des mêmes allées et venues, dominés par les cris des dockers. Les charbonnages engloutissaient puis vomissaient un peuple d'enfer, noir comme la malédiction. Accotés aux môles et confortablement assis, des cargos et des transatlantiques, repus, digéraient tout un monde en activité et, dans l'air, de longs bras métalliques, mûs par des treuils, allaient et venaient librement, fouillaient tantôt dans un sens, tantôt dans l'autre, puis saisissaient leur proie, l'étreignaient et la lâchaient dans un abîme inconnu.

Hors de ce domaine, s'étendait Dakar, capitale des tropiques avec ses bâtiments que des conceptions nouvelles remaniaient chaque jour. On était loin du N'Diambour aux grandes savanes qui portaient toujours des noms de pâturages. Ici, le roc ancestral avait disparu sous la dalle, le goudron et l'asphalte. Les foules qui coulaient dans les rues fuyaient au lieu de marcher. Le danger planait dans le ciel avec le vrombissement des avions, guettait le passant étourdi aux angles des carrefours, et se trouvait jusque dans l'anonymat qui revêtait les choses et les gens. Tel était le fief de la civilisation qui avait séduit et attiré la petite Maïmouna comme tant d'autres rêveurs de la brousse sénégalaise. Aux confins de la ville de pierre, les agglomérations indigènes s'étalaient, rousses et poussérieuses. Comparées aux quartiers neufs, riants et pittoresques qui champignonnaient dans le centre, sur le plateau et sur le roc, ces agglomérations évoquaient par leur aspect sordide la misère et la décrépitude qui s'étalaient partout à l'intérieur du pays. Elles formaient comme une ceinture d'ordures qui s'élargissait à mesure que le flot grondant de l'urbanisme déferlait sur elle.

Dès le lendemain de son arrivée Maïmouna se baigna longuement à la douchière. Ce que c'était que de vivre à Dakar, dans le beau monde moderne ! Mon Dieu ! quel changement : Le paradis osait-il promettre des joies plus grandes ? L'eau tombait d'en haut comme d'un tamis, aspergeait son corps et coulait le long de tous ses membres. Il suffisait de tirer sur une corde à peine plus épaisse qu'une ganse. Un tel bain raffermissait la chair, rendait l'esprit léger et lucide.

Au sortir du bain, elle s'enveloppa frileusement dans de grandes serviettes-éponges qui semblaient avoir été tissées dans une cuve de parfum. Rihanna l'attendait dans sa chambre pour la transformer, comme elle disait, en petite Dakaroise. L'opération fut longue et savante. Elle fut interrompue plusieurs fois par des visites importunes de gens venus sous prétexte de présenter leurs hommages à Rihanna mais qui, en réalité, n'avaient qu'un seul désir : se renseigner sur la personnalité de la petite sœur. Rihanna les recevait dans sa chambre, leur souriait et causait avec eux tout en continuant sa besogne artistique. Ils péroraient un moment et s'éclipsaient en remerciant. Maïmouna, parée, pouvait rivaliser avec les beautés de Tahiti. Sa brosse peignée, étirée et ondulée au fer chaud fut ornée de fleurs artificielles. Rihanna enleva la profusion de perles et de paillettes d'or, mit aux lobes de la petite de longs pendentifs à la mode antillaise, formés de cercles d'or d'une minceur incroyable. Au cou, elle lui passa une chainette du même métal jaune crème, qui ressemblait à un long reflet de soleil. Pour tout vêtement un boubou de gaze au col échancré, de manière qu'on découvrît toute son épaule et la naissance du sein ; puis un pagne blanc immaculé et par dessus un autre à pois roses et verts, comme les fleurs artificielles qui ornaient ses cheveux.

Elles passèrent dans le salon mi-européen, mi-arabe que la grande domestique responsable astiquait chaque matin. Elles s'assirent et se mirent à causer de Louga et de Yaye Daro. Rien ne semblait devoir changer dans cet intérieur du pays. La mode y arrivait difficilement et l'ambiance était nocive. Quant à la mère Daro, dit Maïmouna, elle se passionnait toujours pour son commerce et priait sans cesse pour ses filles. Il faudrait peut-être que Rihanna lui envoyât désormais un peu plus d'argent. La case avait besoin de sérieuses réparations. Rihanna que l'idée de cette case blessait dans son orgueil formait depuis longtemps le projet de faire monter une baraque pour sa mère. La brave fille n'avait pas manqué d'en parler à son mari. Que penserait-on d'elle si un jour quelqu'un de Dakar, de passage à Louga, s'avisant de faire une visite à sa mère, la trouvait dans ce taudis ? Tout son prestige en serait compromis. Bounama ne refusait pas mais il n'en avait pas les moyens. Toute sa solde passait à maintenir ce train de vie grandiose qui avait fait de lui, apparemment, un aristocrate du milieu indigène. Rihanna, qui ne tenait pas à empoisonner son ménage, n'insistait pas trop et les choses continuaient ainsi.

La nouvelle existence de Maïmouna fut désormais un perpétuel et délicieux vertige. Le matin, au saut du lit, elle passait dix minutes sous la douche, puis s'habillait et rejoignait sa sœur Rihanna au salon. Elle lui disait bonjour en lui donnant la main et en fléchissant un genou, marque de respect. Une petite bonne de son âge apportait deux bols de café au lait et du pain : le petit déjeuner qu'elles prenaient en devisant. Vers dix heures un goûter leur était apporté qui consistait le plus souvent en un plat de côtelettes, de rognons ou de foie. Puis, sauf quand il y avait des visiteurs, ce qui n'était pas rare, elles se mettaient à la fenêtre côte à côte pour regarder dans la rue et se faire admirer.

Les bonnes vaquaient aux soins du ménage et faisaient la cuisine. Il y en avait trois : une grande, déjà mère, la Responsable, qui passait la nuit dans la chambre de Maïmouna, par terre. C'était Yacine une brave femme du Oualo. Deux petites de l'âge de Maïmouna : Kangué et Dibor, recrutées parmi les Sérères de la petite côte qui allaient chercher des places de bonnes à Dakar durant la saison sèche.

A midi Bounama rentrait du bureau, salué par des voix ronronnantes et des génuflexions, et, sauf quand il y avait du monde, il prenait son déjeuner à table, servi par la Responsable, tandis que Rihanna et Maï mangeaient à terre dans la chambre de l'aînée. Bounama avait des principes. Son déjeuner fini, il allait se reposer et ne reparaissait qu'à l'heure de retourner au bureau.

Les après-midi se passaient à boire du thé et à jouer au « Wouri ». Maï était imbattable à ce jeu. Sa science étonnait Rihanna. Parfois un guitariste arrivait et les berçait d'une musique monotone qui était comme un interminable prélude.

Le soir, ordinairement, après le souper, Bounama allait écouter le poste dans le salon et les femmes causaient avec des visiteurs dans la chambre de Rihanna.

Deux fois par mois Bounama emmenait la famille au cinéma : la Responsable était toujours de la compagnie. Bounama en joli complet veston, chapeau mou et canne ; les femmes superlativement endimanchées et belles à ravir.

Les jours ordinaires étaient réglés comme du papier à musique. Mais ils étaient si rares, les jours ordinaires ! Car on ne pouvait pas éviter les invitations ou répondre à des invitations. D'autre part comment ne pas aller voir une vedette au cirque ?

Et il fallait bien paraître aux Arènes Sénégalaises...

Entre Bounama Diaw et sa femme Rihanna Tall existait une parfaite harmonie que le caractère de l'un et l'intelligence de l'autre pouvaient expliquer.

Bounama avait débuté dans l'administration, simple commis à solde journalière, puis mensuelle. Il s'était montré de bonne heure un garçon modeste, appliqué, exact et déférent à l'égard des supérieurs. A l'époque, une bonne place comme la sienne pouvait permettre la « grande vie » dans Dakar et la banlieue. Il ne se maria même pas. Il rêvait d'un bien-être que sa solde d'alors ne pouvait lui garantir sans perspective de dettes colossales. Il préféra attendre et vécut en ermite, quelque part à Dakar, dans une pièce sommairement meublée, où une famille chez qui il était en pension lui portait à manger. Il se mit à étudier pour pousser son instruction élémentaire et surtout il apprit son métier : il était alors aide-comptable aux Travaux Publics. Quelques années plus tard, divers concours donnant accès dans le cadre supérieur s'ouvrirent, parmi lesquels celui de comptable des Travaux Publics. Estimé de ses chefs et soutenu par eux, il réussit presque sans concourir. Il n'abandonna pas pour cela, tout de suite, son train de vie ancien. Ce n'était pas tout de réussir, il fallait maintenant savoir orienter sa barque. Ses idées en matière d'évolution se heurtèrent à l'ambiguïté de la situation coloniale. Il ne pouvait pas les réaliser pleinement. La question du mariage fut surtout épineuse pour lui. Il ne lui échappait point qu'en se mariant suivant un certain régime il ne manquerait pas de retomber et de perdre le bénéfice de tous ses efforts. D'un autre côté, les formes religieuses et sociales de son pays l'empêchaient de rompre avec son milieu et ses traditions et de vivre entièrement à l'européenne. Il opta pour la moyenne de ces deux extrêmes : épouser une femme de son milieu, mais une seule, et l'amener dans un cadre qui permettrait à leurs enfants de grandir dans la ligne de son idéal. Fallait-il encore que cette femme fût jeune et n'eût point déjà contracté de vices. Où la trouver à Dakar ? Il chercha et son mariage en fut de nouveau considérablement retardé. En attendant, il réalisait d'importantes économies. Et le hasard voulut qu'aux fêtes de Pâques de l'année 193... il se rendît aux courses de Louga en compagnie d'amateurs. Le hasard voulut encore qu'à Louga il rencontrât dans une ruelle qui menait au champ de courses une belle fille au teint clair, aux traits réguliers. Ses amis l'arrêtèrent, la plaisantèrent et lui demandèrent son nom et son adresse. Le soir, tous allèrent chez Yaye Daro et tous furent surpris de trouver une si belle créature dans un décor si rustique. La plupart étaient déçus. Quand ils furent dans la rue Bounama affirma devant tous qu'il venait de trouver sa femme. Arrivé à Dakar, il écrivit à une personne de Louga très renseignée sur la vie privée des gens du bourg et à qui on l'avait recommandé. La personne répondit en donnant d'excellents renseignements sur Rihanna. Bounama revint spécialement pour la fille à Louga. Retour à Dakar, démarches et mariage. Alors il alla s'installer rue Raffenel dans cette grande maison qu'il loua et dont l'ameublement lui engloutit toutes ses économies.

Malgré tout, il conserva ses vertus de persévérence et de discernement. Très évolué, dans le fond, il était pourtant obligé de condescendre aux habitudes et désirs des gens de son milieu, c'est-à-dire de jeter un peu de lest pour ne pas trop dominer ce milieu et passer pour un misanthrope solitaire.

D'emblée Rihanna comprit ses devoirs d'épouse. Elle n'eut pas besoin d'être conseillée. Elle savait d'où elle sortait et voyait où son mari l'avait amenée. Elle résolut de défendre constamment les intérêts de ce dernier et de lui demeurer toujours fidèle. Très vite elle fut à la page, car son intelligence était remarquable, plus remarquables encore son coup d'œil et sa facilité d'adaptation. Son mari l'avait comblée de faveurs. Elle avait tout ce que les femmes de Dakar pouvaient posséder : boubous de soie et de gaze, boubous de palmane, camisoles ajourées, velours, bijoux et pierreries. Elle avait au moins un échantillon de toutes les nouveautés qui arrivaient. Et pourtant, tout cela ne la grisait pas outre mesure. Elle avait de la vie un sens exact, était capable de pitié et de commisération. Jamais on ne l'entendit sermonner une bonne à haute voix. Elle avait le don de se faire obéir sans violence. La fermeté de son caractère se révélait jusque dans ses relations avec ses amies et son entourage. Vis-à-vis des hommes elle se montrait aimable, prévenante, mais jamais vulgaire. Rihanna, il est juste de le dire, était un modèle d'épouse pour un garçon comme Bounama Diaw.

Un seul malheur assombrissait leur commune joie : ils n'avaient pas d'enfant. Le mari avait consulté les médecins les plus renommés, la femme les marabouts et les féticheurs les plus savants, les héritiers désirés ne venaient pas. C'eût été un sujet de querelles perpétuelles entre deux époux au caractère immodéré. Entre Rihanna et son mari, ce n'était que malchance, qu'ils déploraient parfois dans l'intimité.

Maïmouna pouvait recevoir une excellente éducation dans ce milieu chatié, entre ces deux êtres aussi raisonnables l'un que l'autre.

Et pourtant Bounama menait un train de vie barbare, si l'on s'en tenait aux apparences. Sa maison était celle du Bon Dieu, l'asile toujours ouvert où l'on trouvait des individus vivant en parasites, des valets bénévoles prêts à exécuter les besognes les plus immondes, et un chapelet d'apprentis-griots qui s'exerçaient à composer et à crier des louanges. Ils couchaient le long de la cour, dormant ou discutant religion ; ils jouaient avec les bonnes ou disaient des facéties aux femmes qui éclataient de rires stridents. Ils allaient prendre livraison du riz, du mil ou du bois commandés.

La maison était encore le rendez-vous de tout ce que le pays comptait de plus sélect et qui déferlait sur Dakar à intervalles réguliers : princes de l'islamisme sénagalais accompagnés de leurs « talibés »; politiciens sans portefeuilles qui se promenaient perpétuellement avec une serviette vide et une longue canne d'ébène ; chefs de canton bourrés de gris-gris et d'illusions.

Il y avait place chez Bounama pour faire la prière et les ablutions à longueur de journée, tables et encrier pour rédiger des articles de journaux incendiaires qui ne paraissaient jamais ; et une vaste cour pour faire revivre en des chants criés la défunte gloire des Damels, des Teignes et des Bracks. Mais surtout il y avait le manger et le boire en abondance. Grillades de viande, cuvettes de macaronis, bassines de salade russe et de salade ordinaire, gigots de mouton et méchouis dorés. Thé ou gingembre ou « n'diar » qui coulaient à flots servis par les bonnes ou les valets bénévoles les jours ordinaires, par Rihanna, la jolie Maïmouna et leurs amies, les jours de grande réception. Bounama condamnait secrètement ce genre de vie, mais il lui manquait le courage de réagir et de crier le holà.

Comment eût-il osé éconduire les descendants des plus grands « Halims » (1) du pays ? Le Gouvernement n'était-il pas le premier à les soutenir, à leur donner autos et michelines, à convoyer gratuitement leur suite en première classe ? Bounama se sentait trop petit, trop facile à abattre pour manifester une volonté contraire à celle du Gouvernement et de tout le peuple sénégalais dont l'esprit critique était encore embryonnaire. Les politiciens aussi étaient à ménager. Ils n'avaient pas toujours une influence rayonnante, ils étaient cependant connus et écoutés dans certains hauts milieux. La moindre de leurs armes était les articles qui étalaient dans la presse les dessous d'une vie privée entachée par leurs noirs desseins. Quant aux chefs de canton, ne représentaient-ils pas la vieille aristocratie du pays ? On leur devait donc à ce titre les égards dûs aux vieilles choses qui se souviennent.

D'ailleurs lui, Bounama, était rattaché directement par les griots aux Diaw de la famille régnante du Oualo. Ce qui lui faisait croire sans frais qu'il était le cousin de tous ces chefs à qui il offrait une illustre hospitalité. Sa femme était une Tall, arrière petite-fille d'El-Hadji Omar, à ce que disaient les mêmes griots.

L'opulence chez un sénégalais se mesurait en outre au nombre de femmes qu'il avait, au nombre de parasites qui vivaient à ses crochets et surtout aux dignitaires du pays qu'il recevait sous son toit.

(1) Halim : dignitaire de l'Islamisme sénégalais.

Maïmouna trouvait maintenant l'univers dont elle n'avait cessé de rêver : palais éclairé à l'électricité, cuisine succulente et variée, prestige et noblesse. Il lui était impossible de se rappeler comment, pendant seize ans, elle avait vécu dans une case, seule avec une mère. Elle revoyait bien en esprit sa mère et la case, et quelques-unes des scènes de son enfance. Mais retrouver les sentiments qu'elle éprouvait dans ce milieu, ressusciter ses petites joies, reconnaître l'identité de la Maï de Dakar avec cette Maï là, si lointaine et si imprécise, elle ne pouvait y réussir.

La vie lui apparaissait toute rose. Rien ne pourrait plus l'empêcher d'être heureuse. Elle n'avait qu'à se laisser vivre et durer, à côté de sa sœur Rihanna et de son beau-frère Bounama. Le monde entier s'arrêtait là.

Dans une lettre qu'elle fit écrire pour sa mère, elle glissa une superbe photo d'elle prise chez Van Malder et Parent et sur laquelle on lui avait dit qu'elle était belle comme une « djinné ».

« Tu montreras cette photo à Mâme Raki et à mes anciennes amies, si tu les vois », termina-t-elle la lettre. Elle sous-entendait par là que Mâme Raki lui donnerait raison d'avoir préféré la vie à Dakar et que ses amies seraient édifiées par la comparaison.

Son cœur, mûr pour l'amour, ne vibrait pourtant encore pour personne. Toutes ces foules qui envahissaient la maison la laissaient indifférente : les « talibés-tidjanes », malgré leurs boubous clairs et leurs crânes propres, les suivants de chefs malgré leur prestance. Elle était simplement gentille avec eux parce que les circonstances le voulaient. Son amant de cœur, elle ne l'avait encore rencontré nulle part...

« Belle comme une « djinné » : mot flatteur, mot

de griot, et pourtant si près de la vérité, quand on examinait le jeune corps de la petite Cayorienne. Les « djinnés » sont extraordinairement belles, dit la légende. La beauté est, en effet, l'attribut de leur espèce. Comment peut-il en être autrement ? Les « djinnés » sont les filles de l'esprit, qui les a créées avec les feux de l'imagination, dans la matière pure du néant. Elles n'ont ni corps ni membres, et cependant elles existent. Leur beauté ne peut être que parfaite. Il faut posséder un corps et des membres pour être laid. Laid par définition.

A quels bras, à quels jarrets délicieux opposerait-on les jarrets, les bras, longs, immatériels de la « djinné » ? Il n'y a pas de commune mesure. Donc on admet comme la légende que la beauté de la « djinné » est incomparable. Elle n'aura peut-être de rivale que celle, promise, des « Wouris », futures amantes et femmes des élus qui ne passeront pas par le Purgatoire.

# CHAPITRE IX

Jeunes, belles, Rihanna et Maïmouna n'en pouvaient plus de rire, côte à côte, dans le fameux salon mi-européen, mi-arabe. Quel ensemble chaleureux formaient leurs toilettes dans ce cadre décoré de photos agrandies, de tableaux aux teintes vives figurant des scènes inspirées par l'évangile musulman ! A terre, un homme était accroupi, boubou bleu indigo, crâne brillant, sourire largement fendu. Il tenait entre ses doigts d'ébène un papier couvert d'une écriture serrée.

Quel charme pouvait émaner de cet humble ? Quel enchantement exerçait-il sur les deux femmes ? Car chaque parole qu'il prononçait accroissait leur bonne humeur, gaieté bien proche de passer la mesure.

Le « N'gouka » de Rihanna se balançait avec lourdeur et jetait des reflets violacés ; son foulard raide épinglé au sommet de cet édifice tombait à chaque éclat de rire. Rihanna le rajustait d'une main, sans toutefois perdre le fil de ce que disait l'individu au triste crâne brillant.

Ce personnage traduisait une missive amoureuse. Combien Maïmouna en avait-elle reçu depuis son arrivée à Dakar ? Des dizaines par semaine, très longues, sincères et correctes, ou fausses et maladroites. Il y en avait d'audacieuses qui promettaient une villa et des autos, des folles qui juraient l'asservissement de leur auteur ; des tristes aux pleurs généreux, des tendres qui caressaient et n'osaient aller plus loin ; ces dernières n'étaient pas les mieux comprises par le traducteur qui n'arrivait pas à exprimer leur sens élevé.

— Eh bien, la chère sœur, dit en riant l'aînée, tu es donc la chanson du jour ? Jamais jeune fille n'a reçu de si nombreux compliments sur sa beauté.

Maïmouna rit très fort, reflet d'ivoire dans le jour mourant qui emplissait la pièce.

Elle était vraiment belle alors, plus radieuse que la petite Cayorienne au crâne rasé flanqué d'une touffe de cheveux. La bonne nourriture prise régurégulièrement, la quiétude, l'adulation des soupirants et peut-être l'air marin de Dakar lui avaient, en quelques mois, donné un léger embonpoint qui convenait très bien à sa grande taille. Ses bras s'étaient arrondis. Sa poitrine s'était affermie. Tout cela avait un charme indéniable...

— Celui-ci se nomme Amath Fall Sohna Yacine Dédiaw ; il vous salue, dit le traducteur.

Les deux femmes se regardèrent. Quel nom kilométrique !

Maïmouna avança son pied, elle allongea le cou vers l'homme au boubou bleu et se recueillit, le menton dans la main.

— Il vous salue et il salue toute la maison, dit encore le traducteur. Le pied de Maïmouna paraissait sculpté, il découvrait la naissance d'une jambe nerveuse sur laquelle l'œil voudrait courir et s'attarder longtemps, longtemps.

Le traducteur terminait par la lecture d'une longue adresse qui se trouvait au bas de la lettre :

« Amath Fall Sohna Yacine Dédiaw, ex-élève diplômé de l'école primaire supérieure, ex-élève dactylo-sténo, Caporal de réserve de l'armée coloniale, Sous-Chef comptable à l'Intendance Militaire, Dakar. »

— Il a beaucoup de titres celui-là, remarqua Rihanna.

— Karr Yalla », ajouta Maïmouna.

Et l'homme au boubou d'attaquer la lecture d'une autre lettre.

Ce devint pour les deux femmes une récréation, un délassement quotidien.

Jamais pourtant ses amoureux n'osèrent se présenter. Bounama fermait sa porte aux « Farou-Tiakhanes » (amants pas sérieux). Ceux-là il osait les éconduire sans faiblesse au nom de sa dignité d'honorable fonctionnaire. Sa maison fermait à l'aide d'une lourde porte munie d'une énorme serrure, et nulle autre issue n'y donnait accès : les murs étaient hauts et lisses et toutes les ouvertures, sauf celles de sa chambre et celle du salon, donnaient sur la cour.

Jaloux, non, il ne l'était pas à l'excès. Mais il n'aimait pas cette façon sénégalaise de faire la cour, de séduire les femmes et de s'imposer chaque soir à toute une maisonnée en débitant, allongé sur un lit, des choses futiles jusqu'à minuit, une heure du matin.

La ruée nocturne vers les femmes n'était-elle pas un facteur de décadence intellectuelle et morale ? Ce temps que les jeunes gens gaspillaient auprès des femmes, n'auraient-ils pas pu l'employer utilement à parfaire leurs études ou à former leur personnalité par la solitude et la réflexion ? Mais non. Telle était leur existence : Aller au travail pendant la journée, courir chez les femmes après le repas du soir, puis rentrer et dormir, ainsi de suite. Que fallait-il attendre de gens si peu exigeants ? Leurs « idées », leurs bavardages n'excédaient jamais les limites d'un cercle éternel, jalonné par trois domaines : la femme, la politique et la religion...

Le soir de ce jour, ces dames allèrent au cinéma, en taxi.

Le grand cinéma Rilato n'avait pas son pareil à Dakar. Il était en plein air, il rutilait de lumière. Installation magnifique pour un cinéma de la colonie. Depuis les fauteuils rembourrés jusqu'aux chaises en bois à dossier mobile, tout un monde s'étageait, allant des personnalités européennes les plus marquantes aux négrillons.

C'est au Rialto que tout Dakar se rendait en matinée et en soirée.

Bounama n'allait qu'en matinée. Il louait chaque fois un taxi dans lequel s'embarquait la famille : Rihanna, Maïmouna et la Responsable.

La première fois qu'elle alla au cinéma Rialto, Maïmouna fut éblouie par la crudité de la lumière et chancela un peu. Il y avait tellement de gens ! Elle n'avait jamais vu cela. Sa sœur, habituée, marcha devant ; elle suivit presque en se cachant. Plus tard elle n'eût pas pu dire où elle s'était alors assise.

Maintenant les lumières et le monde du Rialto ne lui faisaient plus peur. Quand le taxi stoppait les femmes descendaient en rajustant leurs vêtements, elles entraient et attendaient. Bounama prenait les billets au guichet et les leur distribuait. Elles franchissaient l'entrée avec une dignité de princesse, traversaient quelques rangées de fauteuils et s'asseyaient dans l'ordre suivant : Bounama vers la sortie, Rihanna, Maïmouna, et enfin la Responsable. Leur entrée faisait toujours sensation, surtout du côté indigène. On se retournait pour contempler la beauté éclatante de cette jeune fille, de cette dame. Des sifflements d'admiration fusaient parmi « la racaille » des jeunes gens en caftan...

Qui dira jamais l'effet de cette musique qui précédait le film d'actualité ! Musique aux éclats métalliques. Les gamins, dès le lendemain, la sifflotaient dans toutes les rues de Dakar. Musique tendre aussi ou désespérément triste : Opéras des grands maîtres, mais alors les négrillons ne l'écoutaient plus et discutaillaient, se houspillaient.

Quelle émotion fit naître en Maïmouna la vue d'un film cinématographique ! Le premier jour elle ne put résister à l'envie de poser mille questions : étaient-ce des personnes, de vraies personnes ? Marchaient-elles sur la toile ? D'où sortaient-elles ? Pourquoi faisaient-elles tant de gestes ?... Mais sa sœur lui pinça la cuisse en lui disant de se taire. Elle ne voulait pas qu'elle passât pour un de ces êtres de la brousse, qui n'avait jamais rien vu. A la maison elle lui expliquerait tout en détail.

Et le film se déroula au bruit de machine à coudre de la caméra. Elle vit tumultueusement des rivières, des paysages, de grandes élévations de terre et des maisons comme il n'y en avait même pas à Dakar, des maisons hautes à toucher le ciel :

> « *Ceintes de grands parcs avec une rivière*
> *Baignant « leur » pied qui coule entre des fleurs* »

Des hommes, des femmes « Toubabs », bien habillés selon la mode de leur pays, parlaient, faisaient des gestes, allaient à leurs affaires.

Pourquoi venait-on au cinéma ? Sans doute pour voir du monde, de belles lumières et la foule si dense, si variée. Elle tourna la tête, regarda à droite, à gauche. Tout ce monde silencieux était figé dans une même attitude, la tête levée vers les dansantes images.

Mais depuis cette première séance, sa sœur et Bounama lui avaient expliqué le mystère du cinéma et Maïmouna avait réussi à suivre avec intérêt le déroulement d'un film quelconque. Ne parlant pas un mot de français, elle comprenait par intuition la mimique des personnages et pouvait s'expliquer la suite des tableaux qui composaient un film. Et le cinéma devint pour elle une distraction passionnante.

Ce soir là, en sortant du Rilato, elles furent obligées de se garer pour laisser s'écouler la foule en effervescence. L'attention de Maïmouna fut tout à coup attirée par une silhouette mince et noire, celle d'un jeune homme en complet du soir qui lui tournait le dos et avançait avec lenteur, les avant-bras levés. Ce fut, dans le cœur de la jeune fille, un choc léger qui passa comme un éclair. Dans la rue, elle revit le jeune homme. Debout, le veston déboutonné, les mains aux hanches, le buste rejeté en arrière, debout pour les attendre et les voir passer. Maïmouna, malgré elle, regarda de son côté et leurs yeux se rencontrèrent. Mais, presqu'aussitôt, elle relevait la tête et reprenait son allure altière en direction du taxi.

Au coucher, elle et la Responsable échangèrent leurs impressions sur le film, les personnages, le monde fou qu'il y avait eu. Et lorsqu'elles se turent pour dormir, tout son esprit alla vers le petit jeune homme mince au complet noir. Elle essaya en vain de chasser cette image, et le sommeil ne l'en délivra que très tard...

Désormais Maïmouna connut le tourment de

l'amour. Le souvenir du jeune homme l'obsédait. Elle avait, sans savoir pourquoi, des envies folles de voler vers lui, de se confondre avec lui. La nature extérieure s'emplissait d'une poésie étrange. Les choses semblaient animées d'une singulière bonne volonté. Maïmouna sentait quelque part dans sa poitrine comme un ramollissement d'où naissaient de tendres émotions. Elle aurait voulu parler de tout, de n'importe quoi, en un langage coloré, ailé, divin. Mais il lui manquait la permission de le faire et les mots pour libérer ses pensées mélancoliques.

Elle mettait donc toute son âme éprise dans la mélopée courte et suave ; la mélopée nègre faite de soupirs langoureux dont il est difficile de dire s'ils sont de bonheur ou de tristesse. Elle psalmodiait des airs de sa composition en tâchant de dérober leur vrai sens à son entourage. Un répertoire de morceaux classiques auxquels sa mère au cœur tendre l'avait familiarisée de bonne heure, fleuris de thèmes anciens mais toujours d'actualité, nourrissait ses élans d'amour. Il y était parlé de navires à la réputation légendaire qui allaient d'un bout à l'autre du fleuve Sénégal rapportant or, boubous de soie et pagnes magnifiques du Boundou et du Galam ; de vastes champs brûlants sous le soleil qui n'arrivait pas à paralyser l'effort des hommes ; de champions de lutte imbattables morts dans la gloire ; de beautés mâles qui envoûtaient les jeunesses de leur époque.

Mais les filles noires ne confiaient les secrets de leur cœur à personne, pas même à leurs sœurs aînées, pas même à leurs mamans inquiètes et prévenantes.

## CHAPITRE X

A l'occasion de la Maouloud, Bounama organisa une réception pour ses amis. C'était un samedi soir.

La cour fut dotée d'une installation électrique supplémentaire avec des ampoules grosses comme des crânes. On tamisa le sable, on installa des nattes et des tapis pour le chœur religieux.

Bounama s'habilla confortablement à l'indigène ; culotte blanche ample et légère, arrivant aux genoux ; sous-vêtement européen en soie pure ; boubou blanc plastronné de bazin riche qui s'ouvrait largement sur les côtés ; grand boubou de bazin super-riche, amidonné à souhait et repassé avec une application tatillonne. Aux pieds, une paire de babouches toutes neuves choisies un peu trop petites parce que c'était la mode. Il parut sur la véranda et vérifia d'un coup d'œil rapide la disposition des chaises et des fauteuils, il entra dans le salon, passa dans la pièce d'à côté, reparut sur la véranda. Tout était en ordre.

L'approche de la Société « Khairou-Dyni », la plus brillante société religieuse de Dakar, se signala bientôt dans la rue par des cris de tête. Ses membres s'habillaient en blanc : boubous blancs de coton, bonnets blancs également de coton. Ce qui leur donnait l'allure de membres du « Ku-klux-klan ». Ils pénétrèrent chez Bounama en s'égosillant à qui mieux mieux. On les reçut. Ils se groupèrent sur les tapis et les nattes comme une formation de moines blancs.

Les vrais invités, les amis de Bounama, arrivaient de temps en temps et étaient admis dans le salon. Individus pour la plupart très imbus de leurs personnes, tous agents du cadre commun supérieur comme Bounama, ou comptables du Commerce enrichis par leur « zèle ». Il fallait voir comme ils s'affalaient dans les fauteuils, l'air infiniment détaché, une jambe sur l'autre, et les bras en ailes de vautour fatigué. Il fallait entendre leur langage traînant mi-français, mi-ouoloff, leurs rires bourgeois et leurs soupirs de feinte lassitude. Un groupe plus homogène arriva bientôt, la société des « jeunes Hadj ». Encore des gens du cadre supérieur qui avaient eu le mérite d'épargner la moitié de leurs grosses soldes pour aller visiter les « Lieux saints de l'Islam ». Ils portaient tous la même culotte marocaine, la même veste, étaient tous coiffés et couronnés à la Haroun-al-Raschid, mais point de chapelets ni de bouilloires pour les ablutions. Ils avaient la réputation de gagner partout le suffrage des femmes, ce qui multipliait les pèlerinages à la Mecque et grossissait la Société des jeunes Hadj... Eux aussi furent reçus dans le salon où leur attiffement mit une note bien orientale.

Alors les membres de la « Khairou-Dyni » commencèrent de nouveau à vociférer. La voix cassée, les veines du cou gonflées, tous les muscles du visage se crispant dans une douloureuse grimace, ils chantaient à une ou deux voix, tantôt en chœur, tantôt par groupes qui se relayaient.

On servit le thé et des petits biscuits au beurre...

De grosses femmes, poudrées jusqu'au bout des

oreilles garnissaient la véranda de chaque côté d'un passage laissé libre pour accéder au salon. Vrai parterre fleuri de mouchoirs de tête aux couleurs fraiches, de boubous de soie et de pagnes de velours luisant sous la lumière électrique.

De temps à autre un crâneur faisait une entrée sensationnelle dans la maison, suivi d'un griot qui hurlait ses éloges. On chuchotait son nom dans la foule, et il pénétrait dans le salon où son arrivée produisait de bruyantes effusions sur la sincérité desquelles il y aurait beaucoup à dire.

On servit le souper quand les invités furent à peu près au complet. Il fallut congédier momentanément les curieux et les badauds accourus pour assister à la soirée. Quelques gaillards de la valetaille bénévole s'y employèrent, et, en un clin d'œil, les indésirables furent expulsés et la lourde porte verrouillée.

Des plats somptueux parurent alors, juchés sur les bras des serveurs. On mangeait par groupes excédant parfois la douzaine. De la cour à l'intérieur du salon en passant par la véranda, le monde se divisait en îlots de convives accroupis sur le sol, la main en avant. Les conversations, on s'en doute, allaient bon train ; et les rires... dans la mesure où ces bouches pleines pouvaient parler et rire.

Les serveurs, les pans de leur grand boubou fortement noués dans le dos au bas de la nuque, surveillaient, attentifs à pourvoir les convives en eau et à enlever les plats.

Rihanna passait de groupe à groupe ayant un mot pour chacun. On l'invitait par protocole. Elle déclinait l'invitation en riant délicieusement et trouvait toujours qu'on ne mangeait pas avec assez d'ardeur. Et les plats succédaient aux plats.

Quand le repas fut terminé le ton de la conversation se haussa, des renvois bruyants se succédèrent à l'envie traduisant la satisfaction de tous. Un clama des louanges adressées à Bounama, qui, disait-il, réussissait à régaler toute une ville avec une nourriture de roi. Des farceurs et des bouffons ajoutèrent à ses propos des remarques fort bien assaisonnées.

La vraie fête commença alors. Des femmes coquettes disparurent dans les appartements de Rihanna pour se refaire une beauté. Elles reparurent plus fraîches et plus poudrées. Des griots attitrés prenaient leurs héros à partie et récitaient des chapelets de généalogie sans grand souci de l'harmonie générale. Les badauds et les curieux, revenus par la grâce des bénévoles, se bousculaient et s'attrapaient au collet. Et tandis que la « Khairou-Dyni » qui avait accordé ses voix reprenait, les aristocrates du salon causaient politique, nouvelles soldes et indemnités.

Après le dernier service de thé qui suivit le repas, on servit le gingembre et des sirops, on distribua des biscuits et des gâteaux. Maïmouna et la Responsable servaient le monde du salon, Rihanna, aidée de trois amies, s'occupait de la « Khairou-Dyni » et des groupes épars.

Bientôt la moitié des femmes qui se trouvaient sur la véranda progressa jusque dans le salon, et le gros des hommes du salon déferla sur la véranda. Cette attraction réciproque était inévitable.

L'atmosphère devint plus gaie, les hommes se pavanaient et les femmes se pâmaient de rires.

— Maître de céans, lança un jeune Hadj, je suis candidat. Son doigt était pointé dans la direction de la belle Maïmouna. « Et je ne suis pas homme qui fait demi-tour. »

Un griot saisit l'occasion au vol.

— Rien de plus vrai, M'Bodj, descendant des Bracks, Brack au Oualo, Damel au Cayor, Teigne au Baol, Bour au Sine et au Saloum. Tu es allé à la Mecque et tu as construit des villas à Dakar. Tu ne peux pas faire demi-tour, Dieu m'en est témoin.

— Je n'accepterai ta candidature, plaisanta Bounama, que quand tu auras fait trois fois le pèlerinage de la Mecque, trois fois jeune Hadj.

Le griot intervint à nouveau.

— Il ira, s'il le faut, dix fois à la Mecque pour avoir Maïmouna. Oui, Diaw, descendant des Bracks comme lui. Vous ignorez tous les deux qui vous êtes, laissez-moi vous le dire donc. Vous êtes cousins et le même sang coule dans vos veines. Voilà pourquoi vous êtes également nobles, également généreux. Le sang ne se perd pas. En vos deux noms, en vos deux personnes le Oualo étonne Dakar et le monde. Diaw, donne-lui la main de Maïmouna, il ira dix fois, quinze fois à la Mecque. Et, se tournant vers la belle Maïmouna :

— Tall, Tall, dit-il, maudites soient les langues.

Les vociférations du griot finirent par attirer l'attention générale. La « Khairou-Dyni » cessa de clamer la gloire du Prophète. On était à un autre tournant de l'idéal collectif.

Les louanges débitées sur le compte de Chérif M'Bodj et de Bounama Diaw compliquaient singulièrement la situation. Les autres se sentaient brimés. Alors, de partout, montèrent comme une réplique des éloges adressés à d'autres jeunes Hadj, à d'autres fonctionnaires haut placés, qui avaient, eux aussi, bâti villas et maisons à étage, acheté troupeaux et voitures, et qui appartenaient aux souches les plus anciennes du pays. Ce fut un crescendo inouï de voix cherchant à se dominer les unes les autres, un étalage de richesses réelles ou illusoires, de noblesses authentiques ou fausses... Un duel de mots révélant la sourde rivalité qui devait exister entre ces jeunes gens apparemment unis par l'amitié et le même idéal. Les femmes, Rihanna en tête, eurent amplement leur part d'éloges. Et des bourses se délièrent, et beaucoup d'argent tomba entre les mains des griots.

La soirée dura jusqu'à l'aube et se termina dans un immense brouhaha de remerciements et de congratulations.

Ce fut, pour de nombreux prétendants, l'occasion de poser officiellement leur candidature à la main de Maïmouna et d'oser « attaquer » par la suite.

« Attaquer un poste », au sens sénégalais du mot, c'est aller à la conquête de l'amour d'une femme. Pour cela, il faut s'armer jusqu'aux dents, comme un vrai combattant de l'honneur et de la gloire. Que débarque une beauté dans une ville, il y aura toujours des cavaliers à l'affût ne rêvant que d'équipées amoureuses. C'est la ruée chez la nouvelle venue, où ils affronteront leurs personnes, leur naissance et leurs richesses. Les plus forts l'emportent et occupent le « poste ». Ce n'est pas tant l'amour qui les guide, l'amour délicat, sublime, sincère. Seul les préoccupe le renom de galanterie et de succès qui se peut tirer de duels semblables.

Les prétendants aux grâces de Maïmouna étaient une demi-douzaine de viveurs aussi entreprenants et célèbres les uns que les autres. Ils menaient un train de vie assez extraordinaire et faisaient valser avec aisance les billets de banque et les louis d'or. On peut dire que de tels personnages créaient de nouvelles dynasties placées non plus sous le signe du droit divin mais sous le fantôme ressuscité du veau d'or. La plupart entretenaient harem, cour, attelages. Tous avaient des suivants dévoués à leur personne et des griots qui les encensaient. Leurs visites chez Maïmouna pouvaient être considérées comme un événement de grande importance. Ils s'affirmaient de manières diverses, faisaient « feu » et s'en allaient, laissant derrière eux une traînée de gloire et de musique.

Maïmouna les accompagnait jusqu'au seuil de la porte d'entrée, restait quelque temps avec eux et revenait s'asseoir dans le salon.

Au fond, elle ne comprenait pas très bien. Son âme était demeurée celle d'une petite fille de la brousse, mal préparée à cette duplicité que jouaient les filles de son âge, nées et élevées dans les centres urbains. Et puis aucun de ces galants ne lui plaisait. Ils étaient trop importants, trop célèbres, trop tonitruants pour lui plaire. Mais c'est Rihanna qui y tenait la main, sa sœur Rihanna, qui ne pouvait plus vivre en dehors de ces illusions et qui voulait bien placer Maïmouna. Elle avait eu un entretien particulier avec chacun des prétendants et avait donné à tous, séparément, des motifs d'espérer ; cependant qu'en public, lorsque la question du mariage lui était posée, elle disait, de son ton le plus aimable :

— Pensez-vous ? Maïmouna est encore trop jeune. Il faut qu'elle goûte quelque temps aux charmes de la vie de jeune fille. Les amoureux n'ont pas encore assez fait pour elle.

Elle aimait à se trouver seule avec Maïmouna pour lui inculquer quelques idées indispensables sur le monde. L'âme de la petite sauvage sommeillait sous la délicieuse enveloppe dont l'éclat était sans cesse rehaussé par des trouvailles signées Rihanna. Il fallait la secouer de sa torpeur et l'amener à la clarté, à la réalité du monde moderne. Maïmouna, perspicace, devinait les pensées de sa sœur dans la façon dithyrambique dont elle parlait de chacun des prétendants. Elle devinait son choix et l'encourageait par des propos d'apparente soumission. Mais, au fond d'elle-même, elle gardait une plus large estime à des garçons comme Doudou Khary, jeunes, simples, spontanés, peut-être sincères. Ce Doudou Khary qui vint une fois pendant la nuit heurter à leur porte et que Yaye Daro congédia si sommairement. Des jeunes gens de cette aune étaient plus à sa portée que les fameux dandies de la vie Dakaroise. Certes, pour le côté matériel, pour le bien-être, pour le milieu, elle ne pouvait se risquer à comparer Dakar et Louga. Elle voulait demeurer à Dakar jusqu'à la fin de ses jours, s'y marier comme sa sœur Rihanna, y être heureuse. Mais avec qui ? C'était là un problème que son cœur seul pouvait résoudre.

Une différence profonde devait marquer le destin de Rihanna et celui de sa sœur cadette. Rihanna avait rencontré son mari à une époque où elle vivait pauvre, presque dans le besoin. Il avait été pour elle comme une Providence, et elle s'était mariée vite pour ne pas compromettre cette chance. Il est vrai qu'elle n'avait jamais eu depuis l'occasion de le regretter et qu'avec le temps elle était arrivée à aimer profondément son homme. Maïmouna, restée dans son pays de Louga, se fût jetée dans les bras d'un de ces prétendants, le premier qui se fût présenté. Mais elle vivait à Dakar, dans l'opulence, elle était belle, n'avait que le choix entre mille partis aussi brillants les uns que les autres. Elle n'avait donc pas à se presser, à élire un de ces jeunes hommes que son cœur réprouvait secrètement.

Certes, ces prétendants réalisaient parfaitement son idée de la noblesse et de la richesse, mais ils choquaient sa conception du bonheur intime et égoïste, et la vie n'était-elle pas devant elle, longue, interminable ?

Les sentiments d'une fille noire sont complexes, et son cœur aussi profond et aussi ténébreux qu'un puits du Diolof (1).

Quoi qu'il en soit, il suffisait désormais à Maïmouna de formuler une idée pour que celle-ci se matérialise sur le champ. Parlait-elle de couture ? C'était l'occasion de lui acheter une machine à coudre. De nouveautés arrivées chez Jim ? Un prétendant y courait le lendemain pour collectionner tout ce qu'il y avait de plus somptueux. Ignorait-elle l'heure que marquait la pendule ? C'était inadmissible, une jeune fille comme il faut devait non seulement savoir lire l'heure, mais posséder une montre-bracelet. On lui en acheta une de haute qualité et on lui apprit à y lire l'heure. Les plus délicats lui envoyaient régulièrement des pommes, des pâtisseries, des gigots de mouton rôtis au four. De même, elle recevait parfois des enveloppes contenant des sommes importantes, avec une petite phrase pour leur éventuel emploi :

— Pout t'acheter des bonbons...

— Pour aller au cinéma...

Elle remettait chaque cadeau à Rihanna qui en disposait comme elle l'entendait.

(1) Le Diolof : région du Sénégal où l'eau est rare.

Aussi la valeur de l'argent et des objets les plus rares commençait-elle à lui échapper.

L'un des prétendants, le plus avisé, lui acheta à la Foire une superbe poupée, travaillée avec art. Une poupée presque vivante, grande comme un enfant des hommes, véritable réduction de femme sénégalaise, teint de cuivre, regard langoureux, lèvres sensuelles et habillée à la dernière mode. Ce fut le plus beau cadeau qu'elle reçut ; en l'honneur de la poupée, elle organisa une fête...

A quelque temps de là, une lettre recommandée arriva de Louga, de la mère Daro. Elle contenait, outre la missive qui était plus longue que d'habitude, deux feuilles de papier lisse couvertes d'une écriture arabe très serrée et de figures géométriques décorées de caractères isolés. Rihanna sentit que le secret d'une telle lettre ne pouvait être connu de tout le monde. Elle appela Maïmouna dans sa chambre et elles s'enfermèrent avec le traducteur habituel. Or, ce dernier était discret comme un confesseur, précis comme un horloger.

La lettre, adressée à Rihanna, les concernait toutes les deux. Yaye Daro accusait réception d'un colis récemment envoyé par sa fille aînée et contenant deux boubous, trois pagnes et quelques mouchoirs de tête pour femme âgée. Puis elle continua : « je suis une mère heureuse, je remercie Dieu de m'avoir donné deux filles qui me comblent d'honneur et de prévenances aux yeux de mes semblables. Toutes les personnes du bourg qui me veulent paix et bonheur vous adressent leurs remerciements. Je prie sans cesse le Seigneur afin que vous viviez encore longtemps devant nous tous.

« Mais j'ai consulté mon marabout qui m'a remis ces deux talismans joints à ma lettre. Mon marabout s'appelle Serigne Thierno. C'est un cerveau plein, un homme extraordinaire qui « voit ». Il m'a surtout parlé de Maïmouna. Retenez bien, mes chères filles, les paroles de ce saint homme que je vais transcrire fidèlement ici. »

« La plus jeune de vos filles est arrivée au point le plus haut ou Sounou-Borom (1) » a marqué l'apogée de son succès en ce monde. Elle a une beauté incomparable, elle est polie. Tous ceux qui la voient, hommes comme femmes, ne peuvent s'empêcher de l'aimer. Mais aucun « Mbinedeff » (2) ne peut prétendre à réunir tous les suffrages. Même Mohamed, le plus grand des prophètes, le « Gueune-dji-mbinedeff » (3), celui à cause de qui Dieu a créé le monde, était persécuté par des adversaires nombreux. L'œil des fils d'Adam-N'Diaye n'est pas toujours clément, leur langue est pire. Et leur cœur souvent très noir contient de mauvaises intentions à l'égard de créatures innocentes que Dieu a comblées de certains privilèges. Donc ta fille aînée doit redoubler de vigilance et ne négliger aucun détail relatif à la vie de sa sœur cadette. Dis-lui de se méfier d'une femme qui vit très près de Maïmouna. Ce n'est pas que cette femme soit une « sorcière » ni que sa langue et son œil soient mauvais, mais elle connaît déjà la vie, et ce qu'elle en sait n'est pas recommandable. Elle est d'autant plus dangereuse pour Maïmouna qu'elle est effacée et qu'elle agit toujours selon la volonté de celle-ci. Je ne peux pas donner d'autres précisions. »

Serigne Thierno m'a remis ensuite les deux talis-

(1) Sounou-Borom : notre maître, Dieu.
(2) Mbinedeff : créature de Dieu.
(3) Gueune-Dji-Mbinedeff : la créature supérieure à toutes les autres.

mans comme « mouslouaï » (1), Pour marquer leur différence il a mis des « Khatims » (2) rouges sur l'un et pas sur l'autre. Celui qui est tout noir devra être laissé longtemps dans l'eau, de manière que les écritures s'y résorbent. Chaque matin au lever, Maïmouna, avant de voir le soleil, devra passer sur sa figure, son cou et ses bras un peu de l'eau bénite ainsi obtenue. Elle devra également prendre de cette eau une petite gorgée. Ajouter de l'eau ordinaire de temps en temps quand la quantité qui reste sera trop réduite. L'autre talisman doit être fixé au bras droit de Maïmouna. Si vous tenez à le faire arranger par un cordonnier, que l'une de vous soit présente au moment du travail. Serigne Thierno m'a assuré que ce talisman seul suffisait à protéger Maïmouna contre tout danger provenant des esprits malins ou des intentions impures. Avant que je l'aie quitté, il m'a reparlé de cette femme qui vit très près de Maïmouna, il a secoué la tête et n'a rien voulu ajouter.

« Je ne sais pas, quant à moi, comment vous vivez ni avec qui vous vivez. »

Puis Yaye Daro terminait sa lettre par des paroles de bénédiction et des remerciements qui attendrirent le cœur de Rihanna et de Maïmouna...

Le problème de cette femme inconnue les préoccupa. C'était une vraie devinette. Rihanna pensa sommairement que pour en vouloir à Maïmouna et chercher sa perte, il fallait que la femme en question fût une personne jalouse, une sorte de rivale cachée. Et puis des femmes qui vivaient tout près de Maïmouna, il y en avait tellement. A tout moment de

(1) Mouslouaï : talisman qui protège contre le danger.
(2) Khatim : signe en caractères arabes.

la journée venaient à la maison quelques deux ou trois amies pour leur tenir compagnie. On goûtait ensemble, on jouait au « wouri » ou aux cartes. L'attitude à prendre consistait à douter de chacune de leurs amies, à se méfier de tout le monde. Un petit détail était pourtant suggestif, mais il n'attira pas l'attention de Rihanna : « *Elle est d'autant plus dangereuse qu'elle est effacée...* »

En somme, cette révélation venait empoisonner leur existence. Désormais les amies les plus assidues et les plus prévenantes, celles surtout qui s'intéressaient le plus à Maïmouna, qui se rapprochaient d'elle, se collaient à elle, furent suspectes. Mais, disait la lettre, « ce n'est pas que cette femme soit une sorcière, ni que sa langue et son œil soient mauvais... » Ce qui importait donc et qui suffisait amplement, c'était que Rihanna ne laissât jamais sa sœur sortir seule avec une de leurs amies. Maïmouna avait reçu l'ordre de lui répéter tous les propos que ses amies lui tiendraient, et de la mettre au courant de toutes les manœuvres dont elles pourraient user.

Un jour que Rihanna était revenue sur l'énigme de la lettre de Yaye Daro, sa sœur avait dit.

— Écoute, Anna, la mère elle est comme ça, naturellement superstitieuse. Les marabouts lui prennent tout ce qu'elle a, parce qu'elle les consulte trop et pour des riens. C'est ainsi qu'une fois, à Louga, elle m'a dit de me méfier d'une gentille petite amie que j'avais, tu la connais, Karr, la fille de Yaye Wédji. Les marabouts et les charlatans lui avaient dit que toute la famille de Karr était composée de sorciers.

— Pour ça, avait répondu Rihanna, on le dit dans tout Louga.

— Je ne dis pas le contraire ; je remarque simplement que notre mère peut se tromper ou se laisser tromper par les marabouts qui l'exploitent.

Et le temps passa sans qu'on pût identifier la femme dangereuse, la femme fatale à la destinée de Maïmouna.

# CHAPITRE XI

Dakar, métropole Sénégalaise, foyer d'élégance, creuset où se fondent toutes les races noires qui y envoient les plus beaux spécimens de leur génie, la quintessence de leurs aristocraties et de leurs élites.

Dakar appartient avant tout aux Sénégalais. Elle exprime leurs principaux caractères, donne à leurs mœurs un vaste cadre pour s'épanouir. Les clubs et les arènes y manifestent sur une grande échelle l'amour national, celui de la brousse sénégalaise tout entière, de la danse et de la lutte. Les gestes d'offrande que la petite Cayorienne exécute au clair de lune dans son village perdu, elle les retrouve au cirque de Dakar, stylisés, agrandis, sous la clarté des ampoules qui sont autant de lunes magnifiques. Le champion local, qui lutte dans son pays pour le prestige et le renom de son clan, devient aux « Arènes Sénégalaises » un jeune dieu, dont le nom est jeté par le haut-parleur aux quatre points de l'horizon, et dont le titre et les prouesses sont imprimés le lendemain dans les journaux.

Au club, toutes les élégantes de la ville se rencontraient : Sénégalaises aux énormes perruques de laine bleu marine surmontées d'un mouchoir de soie rose, orange ou bleue, accompagnées des jeunes filles de leur race. Soudanaises noblement vêtues, à la beauté froide, aux lourdes tresses chargées de boules d'or. Guinéennes presque blanches, aux traits réguliers et aux kimonos d'étoffes à grosses fleurs... Les hommes se tenaient généralement debout, le bonnet ou le casque sur l'oreille, un fouet ou un parasol de soie à la main. Le Cercle était vaste, bordé par une foule dont la densité et le fluide obscur impressionnaient les moins timides.

On devait, ce jour-là, voir danser Koura Thiaw, la vedette du Baol. Et tout Dakar y était, quoique l'entrée fût payante.

Les griots frappaient éperdument sur leurs tams-tams et prolongeaient un appel sourd, ample, qui devenait une obsession. Les organisateurs du club, affairés, introduisaient les spectateurs de marque et les invités. Chaque fois qu'une personnalité sénégalaise ou une femme célèbre était annoncée par le haut-parleur, les tams-tams cessaient un instant de battre, puis effectuaient ensemble un roulement saccadé, profond ; le principal griot accourait vers elle, lui rendait les honneurs en faisant crépiter son instrument et en saluant très bas. Puis il la suivait jusqu'à la place qui lui était indiquée et vers laquelle se tournaient tous les regards. Pendant que l'orchestre continuait à scander le même roulement lent et éperdu, il lui criait des louanges et l'étourdissait de son tam-tam sonore jusqu'à ce qu'elle lui donnât ostensiblement une liasse de billets de banque.

En attendant que Koura Thiaw, l'incomparable vedette, se décidât à entrer en scène, des jeunes gens, bons danseurs connus de tout Dakar, se montraient dans le Cercle et évoluaient, très applaudis. Quelques jeunes filles hardies se risquaient également dans le Cercle, dansaient le « Yaba » à perfection, mimaient leur nostalgie en des gestes lents et précis puis se sauvaient sous les acclamations de la foule.

Tout à coup, la vedette tant attendue fit irruption en un point de l'immense Cercle. Les cœurs cessèrent de battre un instant, les tam-tams se turent. La vedette plaquait les mains à ses hanches chargées de métal et de sonnailles, rejetait son buste en arrière, et, jambes écartées, jetait un long cri de triomphe. Les tams-tams reprenaient pour l'accompagner. Alors elle s'enlevait, bondissait sur le sol, possédée par la danse, se coiffant de sa jambe droite — exercice difficile — ; elle se mettait à tourner telle une toupie, aux acclamations frénétiques de tout ce monde. Rapides, les jambes suivent un rythme syncopé, le pagne, relevé par derrière. Elle avisait une personnalité et lui donnait un assaut terrible, bondissant sur elle, la heurtant de son jeune corps électrique. Le rythme gagnait la foule qui mimait sur place les gestes de la danseuse Koura Thiaw. Elle terminait son numéro en exécutant des danses d'adresse et de souplesse bien trop savantes pour la gamine de seize ans qu'elle était...

C'est au cours d'une de ces séances que Maïmouna, la belle Maïmouna, fut proclamée par le griot « *Etoile de Dakar* ».

Cette dignité, conférée par un personnage aussi important en milieu indigène, fut approuvée par un hurlement qui ébranla les tréteaux et les branches sur lesquels la moitié de l'assistance s'était hissée. Une pluie de billets de banque tomba dans l'arène en l'honneur *de l'Etoile de Dakar*. Une voix s'éleva et le griot dit : Écoutez, en faisant rouler son tambour. La voix prononça :

« Pour *l'Etoile de Dakar*, je donne deux taureaux

aux griots et qu'ils pourront dès ce soir enlever de mon parc. »

Grandes exclamations de surprise : Admiration générale...

Et le haut-parleur, nasillard, répandit cette information sur toute la foule : Maïmouna Tall est nommée « *Etoile de Dakar* ».

Etoile très brillante dont l'éclat noyait la lueur pâle des beautés de son milieu. Hélas ! deux ombres rôdaient autour d'elle et pouvaient l'éclipser à moins qu'une protection surnaturelle ne les écartât de son sillage. Oui, deux fantômes menaçaient la belle destinée de la fille de Yaye Daro. L'un et l'autre étaient l'incarnation des deux principaux sentiments qui mènent le monde : amour et convoitise. Amour exorbitant, monstre, tapi dans l'ombre, sacrifiant honneur, dignité, argent à sa réalisation totale et égoïste. Mirage de l'argent et des clinquants, superstition de la mode plus changeante qu'un caméléon et rites nouveaux de la vie moderne.

Que pouvait faire une volonté de petite fille noire au milieu d'une telle coalition. Le marabout de Yaye Daro avait vu tout cela, et même autre chose. Il avait aperçu le spectre de ce deuxième sentiment plus dangereux que l'Amour. La convoitise...

Maïmouna et Rihanna contemplaient la rue, côte à côte, par un matin d'une douceur extrême. Il y a, en Afrique, de ces aubes fraîches et suaves. Les deux sœurs contemplaient la rue, penchées sur l'appui de leur fenêtre. Non loin de là un cheval s'était affaissé sur ses genoux. Maïmouna s'en émut profondément et attira l'attention de sa sœur sur ce spectacle si commun à Dakar. Le cheval raclait ses sabots sur le pavé glissant pour se relever et soulever sa charge, tandis que son conducteur frappait sur lui à coups de gourdin qui sonnaient fort. Triste spectacle qu'éclipsèrent heureusement des marins blancs au cœur en fête ; bras dessus bras dessous, ils allaient tant bien que mal, chantant d'ivresse. A ce nouveau spectacle Maïmouna se tordit de rire et disparut un moment dans le salon.

— Viens donc, Maï, voir ces « Toubabs » anglais qui passent, dit sa sœur Rihanna.

Maï accourut et vit les « Toubabs » anglais. C'étaient des Officiers de marine, longs, maigres, raides. Oui, la rue était vraiment charmante, ce matin là. Le regard des deux femmes erraient distraitement sur tout ce monde qui allaient et venaient, lorsque passa un jeune homme à bicyclette. Maïmouna remarqua, sans rien dire, qu'il ressemblait étrangement à celui en complet noir qu'elle avait vu au cinéma.

Le jeune homme salua les deux femmes, qui répondirent très discrètement. Il était déjà passé pédalant avec lenteur et recherche quand la jeune fille dit à sa sœur :

— Il parait gentil, ce jeune homme.

— Je ne le connais pas répondit l'autre. C'est bien la première fois que je le vois. Mais il doit être comme tous ses pareils. Ah ! Maïmouna, si tu savais comme Bounama les hait, ces jeunes « toubabs » noirs en complet. Il les écarte avec la plus extrême sévérité. Car, dit-il, tous boivent l'alcool et ne songent pas à se marier avec des femmes sénégalaises, d'après la coutume de nos pères. Ils préfèrent vivre avec des Portugaises. Ils ne jeûnent ni ne font les cinq prières.

— Dans ce cas, fit Maïmouna, ils ne sont pas dignes d'intérêt.

— Dignes d'intérêt ! Demande pardon à Dieu, Maïmouna. L'imam de la Savoueh revient sur leur cas à chaque réunion du vendredi et prie « Notre Maître » pour qu'il ramène ces moutons égarés au bercail.

— Ils sont particulièrement nombreux à Dakar, dit Maïmouna, ces jeunes gens en complet. A Louga on les compte.

— Ici, termina Rihanna, tout le monde les abandonne à leur triste destin. Je t'en prie, Maïmouna, parlons d'autre chose. Tiens, regarde...

Le soir mit dans la tête de Maïmouna amoureuse un baume sans pareil. Elle se coucha en hâte, un doux secret en son cœur. Elle aimait le jeune homme au complet noir.

Bêtise tout ce que disait sa sœur Rihanna, sur cette jeunesse un peu spéciale. Egoïste l'attitude de Bounama enfermé dans les préjugés de son âge, et ne considérant que sa situation privilégiée. Pourquoi ces jeunes gens étaient-ils relégués au rang de parias ? Parce qu'ils n'avaient pas réussi comme Bounama et les jeunes Hadj du cadre commun supérieur. Tant pis, Maïmouna préférait le genre du petit jeune homme au complet noir à tous les faux dévôts, à tous les richissimes de la terre. Elle souffrait, mais à qui confier sa peine ? La Responsable ronflait déjà, sa grosse tâche de la journée ne lui laissait jamais assez de nerfs pour résister au sommeil, le soir venu.

Maïmouna rêva d'intimité et d'épousailles avec le jeune homme au complet noir.

En vérité, il était beau garçon, ce Doudou Diouf. Doudou Diouf, ce sont les prénom et nom bien africains du jeune homme que Maïmouna aimait.

Il était de race sérère, donc noir anthracite. Mais les siècles incertains où nous vivons en avaient fait un adolescent plutôt gracile, éloigné du type colossal ou trapu de sa race. Sa tête n'avait rien de particulier sinon qu'elle était toujours bien soignée; sa chevelure pommadée légèrement, ondulée au peigne et à la brosse avait l'air de retomber en arrière bien que ses cheveux fussent crépus comme ceux de tous les Noirs. Il avait d'ailleurs un regard douloureux et triste à cause de ses yeux obliques qui semblaient constamment voilés.

Son corps, par contre, était très bien taillé. Il était svelte, souple. Les complets des Blancs lui allaient à merveille, et il avait beaucoup de délicatesse et d'ardeur dans les gestes.

Garçon moralement très naïf, il venait de sortir de l'école, sans diplôme. Ses parents ne surent où le placer. Mais comme Doudou était bien fait de sa personne, il réussit facilement à plaire et finalement à gagner sa vie...

Il habitait alors dans la rue Vincens.

Ses parents s'étaient installés depuis une quinzaine d'années à la « Gueule Tapée ». Deux fois par semaine il leur rendait visite. Et c'étaient toujours des sermons que développait son père et des enquêtes anxieuses que faisait sa mère. Leur Doudou grandissait et se formait loin d'eux. Ils ne voyaient en lui que le gamin né hier, un jeune écervelé, que les enfantillages des Toubabs allaient détourner de sa voie, celle de la tradition sociale et morale.

Bien que particulièrement entiché de « Courtes-robes » (1), Doudou Diouf avait été séduit par la beauté de Maïmouna. Il s'était d'abord jugé trop petit pour gagner l'amour d'une fille si « aristo » après qui s'acharnaient les hommes les plus riches et les plus considérés de Dakar. Mais Maïmouna l'avait dévisagé si fréquemment au cours de leurs rencontres fortuites au cinéma qu'il s'était finalement enhardi.

...Un matin, dans la rue, il aborda la Responsable avec ce sans-gêne qui caractérisait alors nos jeunes émancipés.

— Bonjour « Souma Djiguène » (2).

— Bonjour.

— Pardon, j'ai besoin de vous parler.

Il était à bicyclette, il en descendit.

— « Vous habitez chez Maïmouna Tall, n'est-ce pas ?

— Je suis leur « mbinedane » (3)

— Justement, je voudrais vous remettre pour elle un mot que vous serez bien gentille de lui passer sans être vue.

Et, sans donner à la responsable le temps de réfléchir, il sortit de la petite poche de son veston un pli et un billet de cent francs qu'il mit dans la main de la pauvre femme.

— Les cent francs sont pour vous », ajouta-t-il, perplexe. Elle froissa un moment le billet, le plia, puis dit sournoisement.

— Si vous ne voulez pas que votre désir soit satisfait, envoyez cette lettre à Maïmouna.

— Comment cela ?

(1) Courtes-Robes : demoiselles noires portant des robes.
(2) Souma Djiguene : ma sœur.
(3) Mbinedane : domestique.

— Sa sœur et toute la maison la liront et on se moquera de vous.

— Que faut-il donc faire la sœur ?

— Laissez-moi arranger cela. C'est vous que nous rencontrons au cinéma, n'est-ce pas ? Si vous voulez que votre affaire réussise, laissez-moi le temps d'agir, et, en attendant, donnez-moi rendez-vous chaque lundi matin dans la boutique du Syrien, située à cinq pas de la maison. Je m'en vais, car on va nous remarquer.

Doudou Diouf soupira d'aise à l'idée d'un succès qui pourrait venir plus vite qu'il l'avait espéré.

# CHAPITRE XII

Sur l'air bien connu de « Sidy M'Baye » Yacine, la Responsable, redisait une vieille mélopée du Oualo inspirée par les émigrations massives des hommes de ce pays. Ces hommes abandonnaient foyer, femme et enfants. Paresseux, ils finissaient dans des cités nouvelles où ils devenaient débardeurs, gardiens de magasins ou agents douteux trop facilement recrutés.

Leurs femmes les attendaient vainement, clouées sur place par une nombreuse progéniture et par la misère, hélas ! commune en ces pays aux vastes étendues de terrain non cultivé.

Elles attendaient et ils ne revenaient qu'à la morte saison pour montrer leurs toilettes claires de snobs dans les ruelles de leur village, puis ils repartaient...

A la longue les femmes délaissées s'en émurent et elles s'exprimèrent dans une mélopée où les hommes étaient sévèrement pris à partie.

« Do bey diéri, do bey oualo
« Sa ndiobota ngué toumou ranké
« Bobou yone bo dâne dém
« Nou anda guintal Kergui.

(Tu ne cultives pas le diéri, tu ne cultives pas le Oualo, Ta famille est dans la détresse.
La fois prochaine quand tu partiras,
Nous irons ensemble abandonnant le foyer.)

Yacine la responsable fredonnait cet air comme en rêve, toute occupée par sa besogne. Elle épluchait des patates pour le cous-cous du soir. Les gestes de ses mains courtes et noires étaient d'une précision déconcertante...

Tout à coup la chanson resta suspendue à ses lèvres, elle s'immobilisa, sans lever la tête. Un immense dégoût était monté des profondeurs de son être. Le souvenir de la trahison de Iba était revenu avec la chanson, et elle ne pouvait chasser ce souvenir que rendait plus amer sa déchéance actuelle.

Venue à Dakar, il y avait quatre années, attirée par la vogue de la ville impériale, Yacine y avait rencontré un garçon de son pays nommé Iba. Beau garçon, belle voix. Ils chantèrent ensemble un an durant les mélopées nostalgiques du Oualo, puis, ma foi, comme ils s'aimaient, ils firent un enfant. Dieu fit que l'enfant ne vécut pas et Dieu fit bien. Car Iba abandonna sa maîtresse et l'enfant pour s'engager dans la Marine.

Cette épreuve suffit à la femme pour comprendre sommairement les dangers de l'existence. Elle s'était aussitôt repliée sur elle-même en jurant qu'on ne l'y prendrait plus.

Cette femme, d'un noir terreux, grassouillette et passablement jolie, était au service de Rihanna depuis trois ans environ. Silencieuse, un peu taciturne, elle ne se mettait jamais en avant et ne faisait apparemment attention à aucun des visiteurs qui fréquentaient chez Bounama. C'est à peine si, au cours de la journée, elle échangeait quelques propos et riait un peu avec les deux petites sérères.

Son service était impeccablement fait. Toujours debout, toujours occupée à quelque besogne ; elle savait garder son rang, ne parlait que pour répondre aux questions qu'on lui posait, ne paraissait au salon ou dans les appartements que lorsque sa maîtresse ou Bounama l'avait appelée.

Elle vouait à Rihanna un dévouement sans égal, et Rihanna avait en elle une confiance illimitée. Dans la maison elle faisait figure d'intendante ; c'est à elle qu'incombait, outre la surveillance des petites bonnes, l'entière responsabilité du magasin aux provisions dont elle détenait la clef. Elle déterminait les rations de riz, de mil, d'huile, freinait même les élans de générosité excessive qui poussaient Rihana à épuiser les provisions du mois pour gagner la sympathie et les éloges des vieilles mégères aux langues de vipère.

Avant l'arrivée de Maïmouna, elle tenait même auprès de sa maîtresse le rôle de confidente et servait à l'occasion d'intermédiaire. C'est elle que Rihanna envoyait consulter les meilleurs marabouts du faubourg pour envoûter davantage son mari ou provoquer une maternité que la nature semblait refuser. Elle savait donner, quand on la lui demandait, son opinion — et avec quelle sécheresse — sur certains visiteurs dont les manières et les intentions intriguaient Rihanna. Sa maîtresse, à ses yeux, était une grande dame qui la dépassait de cent coudées et qu'elle n'avait pas honte de servir avec une docilité d'esclave. En retour, et à cause des secrets et des nombreux sous-entendus qui existaient entre elles, Rihanna traitait sa servante avec une politesse voisine du respect.

L'arrivée de Maïmouna inspira un nouveau sentiment à Yacine la Responsable : celui de sa déchéance. Maïmouna était venue s'interposer dans l'intimité étroite des deux femmes. Rihanna ne marquait plus à Yacine ces petites attentions qui la rendaient si fière et faisaient d'elle sa complice de tous les instants. Elle ne lui adressait plus la parole que pour des questions de service. Elle ne l'appelait plus pour se faire coiffer ou pour lui demander son avis sur l'élégance de la manière dont elle avait noué son mouchoir, arrangé ses colliers, allié les couleurs de ses vêtements. Il semblait que la maîtresse eût honte, à présent, de se montrer tant soit peu familière avec sa servante. Yacine souffrait de sentir qu'elle n'était qu'une bonne, une simple « mbinedane » à peine plus considérée dans la maison que les deux petites sérères.

Maïmouna, après tout, était venue comme elle de l'intérieur de la brousse. Elle l'avait vue débarquer, à peine dégrossie, de son pays du N'Diambour. Tout juste si au début elle savait faire sa toilette et paraître devant le monde. Yacine ne voyait pas de différence profonde entre le « Diambour et le Oualo. La chance seule avait favorisé Maïmouna en lui donnant une sœur de cette importance. Certes, maintenant, la petite était à la page et témoignait à Yacine une gentillesse de maître à valet. Elle se couchait dans un lit garni de draps blancs propres et d'oreillers mœlleux, tandis que la servante s'étendait sur une natte, par terre, pour veiller comme un chien de garde sur la précieuse vie de la jeune fille. Quelles disproportions dans la répartition des privilèges sur terre, mon Dieu !

D'autre part, Yacine croyait fermement que si Maïmouna était plus jeune qu'elle, sa beauté n'était pas extraordinaire et ne surpassait pas tellement la sienne. Qu'au temps « *où le monde était encore le monde* » il n'aurait pas été dit que Yacine Sarr pût devenir jamais la « mbinedane » de Maïmouna Tall. Mais le monde n'était plus le monde, il avait changé de principes ; les « badolos » (1) d'hier commandaient maintenant à leurs anciens maîtres. Elle, Yacine, jeune et d'excellente famille, aurait pu réussir dans la vie comme n'importe quelle autre femme. Mais voilà qu'à peine installée à Dakar un mauvais garçon de son pays l'avait séduite, trompée et abandonnée. Depuis, elle n'avait plus songé à rentrer au Oualo où son infortune aurait inspiré aux filles de son village de méchantes chansons.

La Responsable qui ne se consolait pas de cet état de choses n'en faisait pourtant rien voir. Son masque impénétrable cachait tout sentiment, fût-il le plus cruel. Elle avait perdu la vivacité de son caractère le soir, un soir déjà loin, où Iba lui avait dit en rentrant : « Eh bien, maintenant il va falloir que tu te débrouilles. Moi je vais dans la Marine ; je ne peux pas rester simple manœuvre sur les quais dans un pays comme Dakar où l'on peut trouver un métier qui soit un métier. » La peau de son visage s'était alors tendue sur une sorte de sourire, et l'étonnement avait désormais empreint ce beau visage d'une perpétuelle gravité.

La Responsable s'était résolue à l'égoïsme et à l'indifférence. Indifférence, puisque personne ne faisait attention à elle, même pour la plaisanter. Ne vivait-on pas autour d'elle comme si elle n'existait pas ? Elle se refusait donc à posséder des yeux pour voir ceux qui entraient ou qui sortaient, des oreilles pour écouter les conversations, les éclats de rires satisfaits, et la musique des guitares. Quant à son égoïsme, elle le voulait incommensurable. Pourquoi s'intéresser au sort d'une autre, quand son propre

(1) Badolo : roturier.

avenir était compromis et quand personne ne lui attirait des prétendants illustres ?

« Et si je ne dois pas manger de ce cous-cous, je le couvre de sable » dit un proverbe Woloff.

Lorsque Doudou Diouf, le secret amour de Maïmouna, l'avait abordée dans la rue, la malheureuse femme vit aussitôt dans cet événement l'occasion de satisfaire un profond désir de vengeance que ne put chasser l'image d'une Maïmouna confiante, innocente.

De même qu'elle oublia les avantages matériels et autres qu'elle aurait pu retirer de cette aventure, toute à l'idée d'une revanche à prendre contre le sort qui l'avait bafouée. Son unique obsession c'était ce luxe effarant, cette gloire surfaite, ce train de vie grandiose que rien ne semblait devoir abolir et auquel le destin lui refusait de participer. Tant il est vrai que nous attribuons souvent notre malchance et nos déboires à ceux qui nous entourent plutôt qu'à nous-mêmes.

Au lieu de signaler à Rihanna la tentative du jeune homme, la Responsable entreprit au contraire de faire tout pour en favoriser l'issue.

C'est ainsi que le soir même du jour de leur rencontre, elle s'arrangea pour avoir à ce sujet un entretien avec Maïmouna. Couchée sur sa natte, le dos tourné au lit et la tête enveloppée dans le pagne qui lui servait de couverture, tout à coup, au milieu d'une conversation, elle lança :

— Maïmouna, j'ai une commission pour toi. On dit que la parole confiée à quelqu'un pour être répétée est une charge dont on doit se débarrasser.

— Paix ? demanda Maïmouna.

— Paix entièrement... Il s'agit du jeune homme mince au complet noir que nous avons maintes fois rencontré au cinéma.

— Ah... Eh bien ?

— Je connais son nom, il me l'a dit : il s'appelle Doudou Diouf.

— Ah ! Doudou Diouf ? J'écoute.

— Il m'a dit qu'un matin il a passé devant toi et Rihanna et qu'il était à bicyclette. Vous étiez à la fenêtre de la salle.

— En effet, je me le rappelle bien.

— Il m'a dit qu'il avait salué, mais que vous lui aviez à peine répondu.

— Cependant on lui a répondu toutes les deux.

— Eh bien ! il a dit qu'il ne peut plus dormir parce que tu « assièges » toute sa pensée.

— Moi ? Est-ce possible ? Il ne m'a jamais approchée.

— Il n'est pas indispensable d'approcher une personne pour l'aimer. Les yeux sont comme les boîtes à photo. Ils captent l'image et la placent au cœur. Et c'est le cœur qui aime, qui adore une personne par la présence en lui de son image. On dit que les cœurs se voient. C'est-à-dire qu'au moment où tu tombes amoureuse de quelqu'un, celui-là t'aime déjà. Doudou m'a priée de lui porter ta réponse. J'ai d'abord refusé de l'écouter, il a insisté, il voulait me suivre dans la rue. Quel scandale ! Les jeunes gens de Dakar sont tout de même effrontés.

— Tu sais bien, Yacine, que Rihanna ne veut pas que je m'occupe de ces choses. Tu sais que je lui remets toutes les lettres qui me sont adressées. Ce jeune homme est très gentil, je ne dis pas le contraire, mais je ne puis envoyer mon amour comme un colis. Il n'a qu'à se présenter comme tout le monde, se faire connaître et se faire admettre par Bounama. Dans ce cas, je ne dis pas...

— Il m'a dit qu'il était très timide et qu'il n'oserait jamais mettre les pieds ici. D'ailleurs, tu sais, Maïmouna, lui se contenterait d'un simple « oui ». Je l'ai vite compris. Il est naïf comme un gamin. Et puis Bounama ne veut pas admettre chez lui les jeunes hommes en complet. Je me suis toujours demandé pourquoi. A mon avis, pourtant, — excuse moi si je te froisse — ils sont bien plus gentils et beaucoup plus civilisés que ces messieurs que je vois venir ici. Quant à ce jeune Doudou, presque un enfant, il m'intéresse particulièrement. Ah ! si j'avais ta beauté et ton nom, sûr, Maïmouna, que je tourmenterais son cœur, ne serait-ce que pour mon contentement. Il s'habille si bien. Avec cela beau comme une femme. Qu'as-tu à craindre ? La seule personne qui sache et qui pourrait en parler à Rihanna, c'est moi. Or, je crois...

— Que veux-tu ? A supposer que je réponde oui à sa déclaration, cela ne l'avancerait pas beaucoup. Je ne sors pas. Lui n'ose pas venir. Inutile de lui promettre un bien qu'il ne pourra pas approcher et contempler à loisir. Non, il vaut mieux parler d'autre chose ou nous endormir.

— Tout dépend de toi, Maï. Tu ne sors pas, mais il y a moyen de sortir en ma compagnie. Rihanna ne s'est à aucun moment méfiée de Yacine. Du reste, ne crois pas que je cherche à te faire prendre un mauvais chemin. Non, si je te voyais sur une mauvaise pente, je serais la première à te crier casse-cou.

La manœuvre ne réussit pas ce soir-là. Maïmouna s'était tue, au comble de l'étonnement. Yacine était-elle sincère ou cherchait-elle à connaître ses sentiments à l'égard du jeune homme au complet noir ? Son instinct l'avertit qu'il ne fallait pas ouvrir immédiatement son cœur à cette « mbinedane » si dévouée à Rihanna et habituellement si avare de paroles.

Elles s'endormirent bientôt toutes les deux, et leurs ronflements confondus montèrent dans la petite pièce, prouvant qu'il n'y avait pas de différence profonde entre le « Diambour » et le « Oualo », entre une femme sans prestige et une jeune fille élevée à la dignité d' « Étoile de Dakar ».

Maïmouna fit un rêve qui pouvait très bien se confondre avec la réalité. Par un hasard dont les songes ne rendent pas compte, elle se trouvait avec la Responsable dans l'appartement de Doudou Diouf, non sur la rue Vincens mais du côté des Almadies. Deux petites pièces aménagées à l'occidentale, garnies de menus objets — vaisselle, bibelots, instruments de musique. De jolis rideaux épais pendaient accrochés à de gros anneaux de cuivre. Le lieu était calme et cette intimité avait quelque chose d'oppressant. Le jeune homme s'affairait dans les pièces, ouvrait le buffet, installait des verres de cristal devant les deux visiteuses et servait des sirops aux coloris chatoyants.

Le rêve devint tout à coup flou, se résorba, puis s'évanouit ; et Maïmouna, le lendemain, lorsqu'elle se réveilla très lasse ne put en reconstituer la fin.

Toute la journée elle demeura triste et pensive. Une nostalgie étrange mêlée d'une crainte superstitieuse, inexplicable, lui serrait le cœur...

On peut dire que Maïmouna était arrivée à l'apogée de sa jeunesse et de sa gloire : un point culminant dans la Société indigène. Elle s'était peu à peu accoutumée à toutes les merveilles qui l'entouraient, à la répétition inlassable des mêmes joies et des mêmes fêtes, à la vie sans difficultés et sans heurts. Encore que ce bonheur fût imparfait Maïmouna finit par s'en lasser un peu. Son âme simple de petite paysanne renaissait souvent comme en ces fleuves où les remous profonds bouleversent périodiquement et ternissent de boue la masse entière de l'eau. Toute sa pensée était alors submergée par la présence de son pays natal, et surtout par celle de sa mère.

Son pays natal... un vieux point du Sénégal où l'on pouvait suivre le soleil depuis son lever jusqu'à son coucher. Là-bas les campagnes étaient vastes, il y avait des boqueteaux et des clairières, et les fillettes du bourg allaient cueillir des jujubes ridés et des cerises roses gonflées de jus. Elles envahissaient des villages paisibles qu'elles remplissaient un moment de leur gaieté et de leurs cris, allant chez l'un, chez l'autre demander à boire ; puis de nouveau elles s'égaillaient dans la brousse à la recherche de fruits mûrs et de bois mort. Le soir on rentrait avec de gros fagots, le pagne relevé, la démarche vive et régulière, en chantant des mélopées. Leurs mamans les attendaient, anxieuses. Plus tard, au clair de lune, crépitaient des touques sonores ; on s'attroupait, nombreux et bruyants, dans les ruelles et sur les places sableuses jusqu'à ce que la terre fût devenue « froide », vraiment « froide ». On rentrait dans sa case déjà assoupie, et l'on dormait d'une seule traite. Pendant l'hivernage les cours des concessions se couvraient de gazon, des petites mares s'y creusaient où les grenouilles coassaient et où il était passionnant de suivre les évolutions si drôles des têtards. Puis, quand le tonnerre grondait un peu trop fort et que la pluie tombait à verse, on restait chez soi, blottie dans des pagnes, à côté de sa mère.

Depuis un an qu'elle était à Dakar, Maïmouna n'avait vu que des maisons de pierre, des rues larges, droites, bien pavées où il était impossible de s'étendre ou de jouer. Elle n'avait vu que des foules disparates, toujours pressées, sans véritable lien social ou moral, des foules avides de gains, jetées dans le tourbillon de la lutte pour la vie.

Elle n'avait vu, en somme, que des fiacres et des cochers anonymes, des multitudes d'automobiles, mais elle n'avait jamais vu le soleil à son lever, ne l'avait jamais aperçu à son coucher, derrière l'écran des bâtiments. Dakar, ville bâtie de toutes pièces, était sans âme parce que sans passé. Les évocations tonitruantes des griots sonnaient mal dans ce décor de pierre où il n'y avait ni horizons, ni poussières ; d'où montaient plusieurs fois par jour l'appel abstrait des sirènes d'usines et l'adieu triste des bateaux en partance. Il fallait choisir entre la lente agonie des contrées historiques et la vie exubérante et mortelle des cités nouvelles. Maïmouna, malheureusement, avait déjà fait son choix.

Pourtant, nostalgie ou simple divertissement, elle s'évadait parfois en pensée, son imagination rafistolait les vieux tableaux de son enfance, ou brodait sur le canevas banal de la vie de Yaye Daro. Elle la revoyait debout de très bon matin, en prière, le regard tourné vers le Levant. Elle entendait les interminables allées et venues entre la case et la cuisine, le cliquetis familier des ustensiles qui s'entrechoquaient, le crass-crass, le doux crass-crass du balai, et le tumulte de la volaille qu'on délivrait. Elle la voyait au marché, accroupie devant son étal, aux prises avec les grosses tomates, les piments rouges et verts, les oranges et les citrons. Elle suivait son retour à l'humble concession, à l'heure où il ne fait ni nuit ni jour et où les bêtes rentraient de la brousse, alourdies de fatigue. Puis venait la nuit, le silence rôdeur. Yaye Daro avait fini de déballer sa marchandise et de compter le gain de la journée avec des gestes d'avare. Elle se préparait certainement à faire la dernière prière du jour que suivaient invariablement des litanies de versets accompagnés de vœux et de supplications au Bon Dieu. Tout cela vu dans le même lointain, tout cela poétisé par la distance. C'était une vraie fête du souvenir où elle ne rencontrait que la beauté et l'éternité des choses.

## CHAPITRE XIII

— Nous avons à parler sérieusement aujourd'hui, Maï, dit Bounama à sa belle-sœur. Il était calé dans un grand fauteuil rembourré, tandis que sa femme et Maï se trouvaient assises l'une près de l'autre, sur le divan.

Point d'autre témoin à ce tête à tête, sinon les photos agrandies qui braquaient sur le petit groupe familial leurs regards froidement observateurs. Au-dessus d'elles des cavaliers arabes caracolaient, brandissant des yatagans, tandis que, hiératiques, des chameliers de la Mecque allaient dans le désert vers le mirage de lointains minarets.

— Tu dois te douter, continua l'homme, du motif de notre petite réunion de ce soir. Ta sœur Rihanna et moi avons jugé opportun de soulever dès aujourd'hui la question de ton mariage. Le mariage, ma chère Maï, est un événement grave de la vie, et il importe d'y réfléchir. Or, tu es grande et le temps passe. D'autre part, ce n'est pas les prétendants qui nous manquent ; d'ailleurs, la plupart des amis qui fréquentent ici sont dignes de toi. Évidemment il n'est pas dans la coutume que les filles s'ouvrent à leurs parents sur des questions de ce genre.

Notre devoir était donc de voir, ta sœur et moi, celui d'entre eux qui te conviendrait le mieux comme époux. Tous, ou à peu près, m'ont demandé ta main. Je n'ai rien voulu promettre sans te consulter auparavant. Car je pense qu'il est insensé et même criminel d'accorder la main d'une fille sans son consentement préalable. Nos pères en usaient autrement, mais nos pères avaient certainement tort. Il ne faut pas se substituer à la personne qui seule aura demain à supporter les conséquences de son union avec un homme. Par conséquent, nous avons tenu à te pressentir. Aimes-tu déjà quelqu'un ?

La question, brutale et inattendue, prenait Maïmouna au dépourvu. Rapide, l'image de Doudou Diouf passa.

Maï, après un moment, répondit fermement :

— Non, je n'aime encore personne.

— Aucun de ceux qui viennent ici ne te plairait comme époux ?

— Non.

L'homme et la femme se regardèrent furtivement.

— Non ? Et si nous t'en proposions un l'accepterais-tu ?

Maïmouna, cette fois, ne répondit pas.

— Je vais te citer, poursuivit Bounama, les noms de tous ceux qui m'ont demandé ta main : Massar Gaye, chef Comptable, Alioune Dieng, entrepreneur, Galaye Kane, entrepreneur, Sidya Sarr, commerçant, Médoune Waly Gaye, commis des Services Financiers, Iba Soulèye Sow, commis des Contributions, Diabèle Gueye, propriétaire et entrepreneur, qu'en dis-tu ?

Maïmouna restait muette, la tête baissée. Bounama, qui était psychologue, ne voulait pas laisser à la jeune fille le temps de donner une réponse négative, ce qui eût clôturé l'entretien. Il fallait imposer d'une manière très adroïte l'homme que lui et sa femme avaient choisi d'avance. Il s'engagea davantage.

— Nous avons, Rihanna et moi, après y avoir beaucoup réfléchi, déterminé notre choix. Nous avons pensé à Galaye Kane.

Il fouilla du regard le visage impassible de la jeune fille.

— Galaye est vraiment un garçon très estimable, et il pourra faire, j'en suis persuadé, un excellent mari. N'est-ce pas Rihanna ?

— C'est du moins mon avis. Je ne lui connais aucune faiblesse. D'autre part, il est de bonne famille et sa fortune est assurée.

— Alors Maï, fit Bounama, enhardi, tu ne voudrais pas de Galaye ?

La jeune fille, excédée dit, sans lever la tête :

— Je ne ferai que ce que vous me direz de faire.

Un lourd silence suivit cette déclaration. Le mari et la femme se sentaient gênés par cette réponse peu enthousiaste et dont le ton était celui de la résignation.

— Enfin, dit Rihanna, avec une pointe d'énervement, s'il ne te plaît pas dis-le !

— S'il vous plaît, il me plaira.

— On ne le dirait pas.

— Ça va, temporisa Bounama. Maï est trop jeune ; elle n'a encore aimé personne. Comment ne serait-elle pas embarrassée quand on lui demande si elle aime un homme plutôt qu'un autre ?

Et, s'adressant à la jeune fille.

— C'est donc entendu Maï, tu approuves notre choix, tu veux épouser Galaye ?

— Oui.

Bounama soupira et fit errer son regard sur les murs du salon.

Les photos regardaient toujours du même air sempiternellement indifférent.

Les cavaliers arabes n'en finissaient pas de caracoler et les chameliers continuaient la course au mirage des lointains clochers.

Il fut donc décidé que Maïmouna Tall serait donnée en mariage à un nommé Galaye Kane, entrepreneur de son état. Un jeune Hadj, naturellement. Ce Galaye Kane qu'on disait riche à millions ! Sa fortune s'était développée comme un mauvais champignon. Un peu partout, à Dakar, il possédait maisons ou villas. D'aucuns disaient même que toute maison en liquidation le trouvait debout sur son seuil. Toujours acquéreur, ce Kane !

Au physique, un jeune homme au teint clair, pas très beau, mais l'air avenant. Il était lent de gestes, mou de corps, un peu décevant dans la conversation. Chez Bounama il était de ceux qui faisaient le moins de bruit. Il aimait rire, d'un rire discret et complaisant. Sa timidité était évidente ; cet homme n'avait jamais regardé Maïmouna en face.

La nouvelle se répandit très vite dans Dakar. Chacun la commenta à sa façon. Les autres prétendants, on s'en doute, ne l'accueillirent pas avec satisfaction. On trouva beaucoup de mauvaises choses à dire sur les origines de Galaye et sur celle de sa fortune. On parla de la cupidité de Bounama et de sa femme. On n'épargna même pas Maïmouna, la pauvre innocente.

— C'est une équipe de « parvenus », disaient les plus méchants.

Et chaque soir, Galaye, comme de droit, venait passer deux ou trois heures auprès de sa fiancée. Au début Rihanna leur tenait compagnie, par la suite on les laissa seuls : Galaye étendu sur le lit, de tout son long, Maïmouna assise à ses pieds, les deux « Dialis » par terre pinçant les cordes de leurs guitares mélancoliques. Parfois Galaye avait quelque chose à dire : alors la jeune fille se penchait sur lui, avançait l'oreille, écoutait un instant. L'encens brûlait et ses volutes se mêlaient aux effluves des riches parfums qui saturaient la pièce. Les « Dialis » soupiraient, murmuraient de brèves évocations, invoquant des époques que la légende peuplait de héros et de sanglantes batailles. Les hommes d'aujourd'hui ne se battaient plus, mais ils avaient de l'or et certains étaient généreux. Mais les « Dialis » préféraient l'histoire des tombes effacées dans le sable mouvant : Samba Galadiégui, Amadou Macina, Samory, dans quel paysage rôdent vos fantômes ? Les guitares africaines se le demandent anxieusement. Les guitares africaines vous réclament, plongent le peuple dans la rêverie, mais le temps passe sans que l'aile de vos fantômes vienne caresser leurs cordes fatiguées qui sanglotent infiniment...

Galaye, dans cette atmosphère de musique et de parfum et à côté de la plus belle fille de Dakar, se sentait ému, presque angoissé. Il donnait de l'argent à Maïmouna qui le remettait aux griots en son nom. Les griots remerciaient d'un signe de tête en grondant d'admiration ; puis ils pinçaient plus fort les cordes de leurs guitares et alors grandissait de nouveau le mirage où revivaient les anciens princes d'Afrique.

Maïmouna, comme toute fille bien éduquée qui n'aime pas son futur mari, se montrait excessivement polie et souriante avec Galaye. Pas d'enthousiasme dans la manière de le recevoir, pas d'effusion. Elle paraissait au contraire s'acquitter d'une dette de reconnaissance ou remplir ses devoirs vis-à-vis d'un hôte convenable. Jamais elle ne posait de question la première. Mais elle répondait toujours d'une manière satisfaisante qui tranquillisait Galaye. Au fond elle le considérait comme un grand dadais inoffensif, susceptible de faire un mari sans prestige, mais riche, pondéré, généreux et calme. Il manquait à ses gestes, à son allure, à toute sa personne cette spontanéité, cette vivacité, ces attitudes triomphantes qui prouvent de l'ardeur en amour. D'autre part, il s'était déjà marié à deux femmes dont l'une avait été répudiée pour des motifs inconnus. Maïmouna n'aurait donc en fait d'amour et de tendresse que du réchauffé. Or son cœur réclamait un bonheur intense servi par une passion neuve, ardente.

A la Gueule Tapée, Galaye faisait construire une superbe villa où il voulait se retirer plus tard avec sa famille ; car les plans d'urbanisme tendaient à évincer l'indigène du centre de Dakar, et d'autre part la population blanche ne cessait de s'accroître : son voisinage n'était pas très recherché par certains autochtones. Il décida que cette villa terminée porterait le nom de « Villa Maïmouna ». Et, au cours d'une invitation qu'il donna chez lui en l'honneur de sa fiancée, il fit annoncer par son griot personnel qu'il donnait à Maïmouna, pour son lait du matin, cinq têtes de vaches laitières attachées dans son parc.

Maïmouna, à la longue, hésita entre l'amour dont elle rêvait et cette garantie d'une vie matérielle très sûre qui se traduisait déjà par d'aussi beaux présents.

Quant à sa sœur Rihanna, elle était au comble de la félicité. Un matin elle s'isola pour méditer son bonheur. Elle était vraiment heureuse, son devoir était d'en remercier Dieu. Et elle l'en remercia sincèrement, du fond de son cœur attendri. Dieu avait étendu une main pleine de bénédictions sur sa famille. Il avait écarté d'elle les méfaits de l'envie, de la jalousie et de la misère.

Elle se revoyait petite fille inconnue dans un coin du bourg de Louga. Leur père venait de mourir emporté par une grave blessure qu'un taureau furieux du Marbath lui avait faite au ventre. Car leur père était un « *Tefanké* » un revendeur adroit qui s'était presque enrichi dans les bestiaux. Le patrimoine qu'il laissa en mourant avait permis à la famille de subsister sans peine pendant quatre années. Puis la mère s'était décidée à ouvrir un petit commerce de denrées locales avec les derniers mille francs de ce patrimoine. Le bon temps ! Mille francs, c'était une somme capable de garantir un fonds de commerce sur le marché du bourg. A cette époque, Rihanna était à peine assez rusée pour faire des commissions chez les voisines... Maïmouna commençait à se tenir à quatre pattes et à dire *ba. ba. ba.*

Adolescente, Rihanna avait pris conscience de leur vie quotidienne, la petite misère où elles vivaient et l'indifférence des gens qui emplissaient naguère leur case aux heures des repas. Son horizon social ne dépassait pas alors les bornes d'un cadre rustique où dominait un peuple de Dioulas et de cultivateurs. Son univers s'arrêtait là, et de gros gaillards à l'air gauche et stupide commençaient déjà à plaisanter la mère à propos de leur union possible avec la belle petite Rihanna. Plaisanteries qu'elle écoutait la mort dans l'âme, car quelque chose lui disait déjà qu'elle n'était pas faite pour eux.

Dieu merci, elle avait échappé au sort de ces femmes de la brousse, couvertes de la poussière des chemins et des lougans, qui trimaient à la place de leurs maris, n'ayant qu'un seul droit : faire une progéniture nombreuse et épuisante. Elle s'était mariée dans un milieu qui convenait à la délicatesse de ses instincts : Lointaine hérédité qui se révélait jusque dans la finesse de ses traits. Comment aurait-elle vécu autrement ? Avec l'aide du Seigneur sa destinée s'était accomplie, sa beauté épanouie dans le cadre normal, ses vœux les plus chers exaucés. Plus de danger pour elle ; restait sa sœur qui naguère était son principal souci... Ah ! Combien de fois elle s'était reproché de ne pas l'avoir à ses côtés, de l'abandonner à l'éducation un peu trop sommaire de leur mère commune, aux lois de la brousse. Eh bien, Dieu avait également comblé Maïmouna. Il l'avait hissée à un niveau social des plus élevés, il lui avait donné une sorte de célébrité. Il lui donnait un mari de la taille de Bounama, ayant même plus de moyens que Bounama. Leur mère pouvait dormir tranquille. La possibilité de remplacer sa case par une belle baraque devenait une certitude. Galaye n'y verrait que l'occasion de témoigner une fois de plus son amour et sa générosité à Maïmouna Mais il fallait attendre que le mariage fût consommé.

Rihanna avait écrit à Yaye Daro au lendemain des décisions prises par elle et son mari. Celle-ci avait répondu, après les compliments d'usage.

« Quant à l'avis que vous me demandez sur votre choix pour Maïmouna, je ne peux que l'approuver pleinement. Encore une fois je déclare que je suis une mère heureuse, et ma parole sera pour vous une bénédiction. Vous avez réjoui mon cœur. Que Dieu vous ouvre les portes de la terre et des cieux.

« Donnez Maïmouna à qui vous voudrez. Je n'ai plus aucun droit de regard sur elle. Vous l'avez élevée, éduquée, comblée d'honneur. Elle est votre fille, son sort est entre vos mains. Je sais du reste que l'homme à qui vous la donnerez l'aura méritée.

« Ma chère fille Rihanna tu m'invites à quitter Louga pour venir vivre auprès de vous à Dakar.

Certes, du moment que Maïmouna ne revient plus, je serai à jamais seule. Mais l'habitude est plus solide que la Corde et le souvenir est un boulet difficile à déplacer. Que deviendrait cette concession qui vous a vu naître ? Qui se souviendrait encore ici de votre bon père et ferait l'aumône pour le repos de son âme ? Il me semble que si je quittais Louga je m'éloignerais davantage de lui et du berceau de notre humble famille. J'imagine très bien une vie à Dakar sans soucis ni tracas, sans marché ni cancans, au milieu de vous, mais le passé m'attache trop fortement à ce sol. Je préfère y terminer mes jours comme feu votre père...

« Oui, décidément, la case est trop vieille, surtout que je n'ai pas d'homme pour la réparer et que Maïmouna n'est plus là pour l'entretenir et l'enjoliver d'images en papier, Tu me proposes, en bonne fille, de la remplacer par une baraque digne de moi. Ce serait certes mon orgueil et ma fierté, mais ne vous privez pas pour moi, je ne serais pas contente. Je suis vieille, le luxe ne peut me rajeunir. Une vieille mère se contente de peu. Vivez largement. Soyez fidèles et dociles à vos maris. Je serai heureuse tant que je vous saurai en paix. Mon bonjour à Bounama et à ce futur beau-fils que je ne connais pas encore. »

# CHAPITRE XIV

La nuit était assez avancée. La « Ville Impériale » commençait à s'assoupir comme une bête formidable blessée à mort agonise en râlant. Le bruit des fiacres, les klaxons, la rumeur des passants s'apaisaient. La plupart des immeubles toutes lumières éteintes, étaient clos sur leurs habitants. Masses de silence, étrangement blanches dans la nuit. Seules les boîtes de nuit, cafés, maisons de débit et maisons de tolérance, rutilaient encore des feux ardents du néon.

Mais pour certains êtres nocturnes, l'heure était aussi propice. Ils passaient, rapides comme des visions, sous des balcons et des fenêtres éteintes. Le bruit de leurs pas dans les rues vides résonnait comme celui d'un danger qui approche et le silence revenu après leur passage n'était pas celui des cités paisibles.

Chez Bounama, on était couché depuis longtemps. La lourde porte verrouillée semblait faire corps avec la muraille. L'intérieur de la cour était pleine d'ombre, d'une ombre très dense où semblait grouiller un essaim de créatures invisibles mais malicieuses.

Tout ce que la nuit comporte de terreurs et de superstitions immobilisait les êtres et les choses dans un inextricable réseau.

Maïmouna ne dormait pas. Doucement, silencieusement, elle pleurait dans son lit, le cœur gros d'un immense chagrin que le mystère de la nuit approfondissait encore. Soupirs et sanglots montaient dans le silence de la pièce.

Tout à coup la voix de la Responsable se fit entendre, douce et presque câline.

Elle ne dormait pas non plus.

— Qu'y a-t-il Maïmouna ? Je t'entends pleurer. Que Dieu empêche cela, mais n'es-tu pas un peu souffrante ?

Et comme la jeune fille ne répondait pas, la Responsable devina et elle devina juste.

Alors, la voix plus maternelle encore :

— Je sais que tu souffres trop, ma sœur. Épouser quelqu'un qu'on n'aime pas est une des plus grandes misères de la femme. Hélas ! c'est notre destinée à toutes. Nous sommes tenues de nous conformer au vœu de nos parents et c'est pour le moins révoltant, car chaque être devrait être libre de choisir l'être qui lui plaît. Il est vrai aussi que notre docilité, l'obéissance à nos parents, nous garantissent contre bien des déboires, nous maintiennent dans la bonne tradition, dans la sagesse. Mais quand même...

A ce moment un sanglot plus fort que les autres monta de la poitrine de Maïmouna.

— Je connais, continua la Responsable, l'homme à qui on veut te donner en mariage ; assurément, c'est un gentleman, riche et sérieux. On dit aussi qu'il est de bonne famille. Mais... il est trop vieux pour toi, ma chère Maïmouna: Que peut-il te donner que tu n'as pas ici ? Tu es jeune, ta beauté a fait le tour du monde et tu n'as que l'embarras du choix entre mille partis. Pourquoi se presser de te marier à un homme que tu n'aimes pas ? Il est vrai que je ne suis qu'une « Mbinedane », non autorisée par conséquent à donner mon avis sur la question. Mais si on me le demandait...

« Enfin, ma chère sœur, supporte ton chagrin et essaye de dormir. Dieu seul est maître de la destinée de ses humbles créatures. Quant à moi, je compatis à ton sort et je suis de cœur avec toi. »

Un lourd silence succéda à ce discours emphatique et tendancieux, et ce ne fut que très tard dans la nuit que le sommeil délivra Maïmouna de la fatigue de ses larmes et de son chagrin.

Le jour venu Maïmouna parut, le visage frais, souriante, naturellement gracieuse. Nul autre que la Responsable, à voir ses airs détachés, la vivacité de son humeur, la spontanéité de ses gestes, n'aurait pu surprendre les secrets de son cœur.

Sa sœur Rihanna se réjouissait à l'idée que le parti choisi convenait parfaitement à sa sœur puisque cette dernière se montrait plus aimable et plus rieuse que jamais.

Galaye, comme envoûté, accumulait dons sur dons, mettait à contribution les effets de surprise les plus délicatement agréables.

S'il aimait Maïmouna — et certes il l'aimait, il en était même fou — le côté flatteur de son succès amoureux ne le préoccupait pas moins.

Il fallait qu'en toute circonstance, si minime soit-elle, il justifiât le choix qu'on avait porté sur sa personne. Réceptions, lunchs, célébrations n'arrêtaient pas en l'honneur de Maïmouna. Il fit même en sorte que tout article arrivant à Dakar et pouvant intéresser la femme indigène fût connu de sa fiancée.

Mais les échantillons de tissus apportés souvent à Maïmouna par des courtisanes zélées ne suffisaient pas à lui donner une idée complète de tout ce qu'on pouvait trouver dans les magasins de Dakar. Il y a là une question de goût. La beauté de Maïmouna n'égalait que sa délicatesse en matière vestimentaire. Sa sœur l'avait si bien formée qu'elle laissait presque toujours la mode de côté pour confectionner des ensembles d'une parfaite originalité. Il était donc indispensable qu'elle même allât dans les magasins et les bazars où des étoffes et des tissus de toutes sortes étaient exposés. Elle les avait déjà visités deux fois en compagnie de Rihanna. Désormais, comme elle était fiancée, elle pouvait obtenir l'autorisation de sortir avec la Responsable pour visiter magasins et bazars. Mais ces sorties restaient assez rares et devaient être vite faites.

A Dakar existaient pour les dames deux pôles d'attraction : chez Jim et la rue Vincens. Jim était un Sénégalais très au courant des goûts et de la mode de son pays. Il tenait un superbe magasin de nouveautés où toutes les femmes indigènes pouvaient satisfaire leurs rêves de toilettes : tissus de soie aux couleurs de l'arc-en-ciel, mousselines et gazes légères comme une toile d'araignée, babouches brodées chargées de dorures, pagnes rayés, bijoux en or, colliers de verroterie. D'un bout à l'autre du magasin, ce n'étaient que merveilles, et dans les vitrines des objets rares d'un luxe inutile mais combien fascinants.

Jim se tenait derrière son immense comptoir, le sourire aux lèvres, la main habile à faire valoir sa marchandise. Nul ne savait comme lui donner du « chic » aux pièces de tissus et de pagnes. Il les soulevait comme de gros bébés, les posait avantageusement sur le comptoir lisse et brillant et se mettait à les caresser avant de commencer le vrai travail d'exhibition. Puis il les crevait du doigt, les étalait, vantant la beauté du tissu, sa solidité, la qualité de ses couleurs, etc... Ses mains palpaient l'étoffe, la pressaient doucement, l'étendaient, la froissaient. Elles dépliaient un mouchoir de tête à contre-jour pour mettre en relief les dessins. C'étaient de vraies mains de magicien, petites, effilées, souples comme une paire de gants. Jim savait encore persuader les femmes, que tel ou tel coloris, telle mosaïque de dessins, telles arabesques se mariaient admirablement avec les peaux claires ou chocolat, ou noir terreux, noir d'ébène. Il savait enfin décider les clients à l'achat en invoquant la vogue d'un tissu nouveau : « on n'en aurait bientôt plus, ce sont mes derniers mètres. » Aidé de deux employés, il menait comme il l'entendait le peuple naïf des femmes coquettes et rendait en somme un immense service à la Société en comblant quelques-uns et les moins dangereux de leurs désirs.

Rue Vincens : galeries marocaines. Souks profonds où l'on trouve le vendeur affalé sur son comptoir, parmi les ballots de marchandises. En ces souks où voisinaient la merveilleuse géométrie des arts d'orient et cette espèce de nonchalance raffinée des hommes, qui n'aurait pas été sensible à l'invraisemblable diversité des étoffes, à l'odeur et aux dessins des cuirs, à la diversité des céramiques et aux chatoiements des soieries. Ailleurs, sur des tapis de laine, des Marocains oisifs fumaient longuement le narguilé et devisaient mystérieusement.

Quand Maïmouna et la Responsable arrivaient dans ces Souks, Maïmouna n'avait que l'embarras du choix. Son sang-froid était d'ailleurs troublé par les regards d'envie que lui jetaient impudiquement les fumeurs de narguilé et leurs propos dont elle devinait le sens.

Durant leurs sorties, la jeune fille et sa Mbinedane échangeaient leurs impressions sur les moindres incidents et, d'une manière générale, sur la vie des gens à Dakar. On n'y faisait attention à personne. Chaque maison comptait une vingtaine de locataires tous aussi indifférents les uns que les autres. L'égoïsme y était la règle : « *Bop sa Bop* » (chacun pour soi). D'une porte à une autre on ne se connaissait pas. Cité idéale pour les intrigues amoureuses qui vivent si bien dans le secret.

Elles prirent l'habitude de descendre par la rue Vincens pour remonter par la rue Grammont. Quand la chaleur du jour était trop forte, elles prenaient un taxi pour rentrer.

Une fois, en passant, la Responsable avait montré à Maïmouna la maison où habitait Doudou Diouf... Certain jour elles rentrèrent à la maison si tard que Rihanna en fut alarmée et fit de sérieuses remontrances à sa sœur.

Heureusement, la Responsable était là pour tout expliquer. On avait été chez Jim et rue Vincens pour comparer deux étoffes de soie. Maïmouna exhiba deux coupons des deux étoffes en question. Et le calme revint. Car Yacine, la Responsable, la femme de confiance, était censée dire toujours la vérité.

# CHAPITRE XV

Six mois s'étaient écoulés depuis la célébration des fiançailles de Maïmouna. Le temps avait passé et continuait de passer, interminable, chevauché par le Hasard, le Hasard qui imprime son sceau sur toute chose : des destinées s'accomplissent, des projets avortent, d'autres réussissent. Fatalistes ou résignés, les Noirs boivent la coupe amère de la Vie. Tout ce qui arrive était écrit depuis le jour de la Création sur le Grand Livre de Dieu. Déceptions, infortunes, maladie, souffrance, il faut considérer tout cela comme autant d'épreuves auxquelles le Seigneur nous soumet pour tremper notre foi en Lui.

D'ailleurs le pays ne manque pas de proverbes qui expliquent ou justifient tout ce qui survient dans la destinée des pauvres mortels.

Il ne se produit pas un accident qui ne soit un arrêt de Dieu, donc inévitable, et sur lequel il n'est pas décent de trop s'appesantir.

A ceux qui souffrent physiquement ou moralement et que le désespoir va gagner, on dit :

— « Ce qui fait souffrir ne dure pas. » Mot de charité qui atténue la douleur ou en limite gratuitement et vaguement la durée. Ces proverbes ont été dits et redits, répétés par tant de générations qu'ils passent pour des formules magiques dont on n'a pas à discuter l'efficacité.

Quand un parent n'arrive pas à se consoler de la mort d'un des siens, on le met en face de la nécessité qui fait que la vie et la mort sont inséparables. On lui dit :

— « Le nez qui a goûté la vie doit goûter la mort. »

Ceux qui doutent du lendemain et chez qui le problème du ventre se pose avec acuité se tranquillisent à l'idée que : « Dans toute bouche qu'il fend, Dieu met du mil », c'est-à-dire que la Providence travaille sans cesse pour les hommes et qu'au dernier moment, sans que nous eussions à intervenir, la nourriture attendue vient d'une manière ou d'une autre.

Jusqu'aux très humbles qui doivent souvent se contenter d'une maigre chair, d'un repas digne des bêtes de la brousse, un moyen de se consoler est réservé. Il suffit qu'ils se disent, avec toutes les générations passées, générations des ancêtres, des vieux, des hommes, des femmes et des enfants :

— « Le ventre ne trahit pas. »

On peut, autrement dit, dans l'ombre et en secret, manger n'importe quoi pourvu que cela fasse vivre. La qualité des mets dévorés, leur fadeur, même leur insuffisance ne peuvent être connues de personne.

Mais il y a des cas singuliers qui se présentent, défiant toute concurrence. Ce sont les scandales de ménage, les trahisons, les énigmes qui clouent parfois d'étonnement les plus sages et les plus stoïques. Un ancien à la barbe blanche arrive au dernier moment et met fin au trouble moral de tous en disant :

— « Tout ce qui est a été. »

Aussi bien quand, un matin, six mois après ses fiançailles, Maïmouna tomba malade, d'un mal apparemment bénin d'ailleurs, sa sœur et son beau-frère n'en furent point alarmés.

Dès qu'il l'apprit Galaye accourut avec un attirail de produits pharmaceutiques. Il venait trois fois dans la journée prendre des nouvelles de la petite, heureux s'il la trouvait dans le salon jouant le « Wouri » avec sa sœur Rihanna. Quand il la trouvait couchée dans son lit et rêvassant, il l'accablait de questions qui finissaient par agacer Maïmouna. Celle-ci lui reprochait souvent certains médicaments amers qu'elle avait essayés et qui ne lui avaient fait aucun bien. Le pauvre homme se désolait, puis courait à la pharmacie pour chercher une autre drogue. Il y avait sur la petite table de Maïmouna des flacons de toutes grandeurs contenant des liquides diversement colorés, limpides ou sirupeux, des élixirs et des potions, des quinquinas et des extraits. Quelques-uns de ces flacons étaient encore intacts, la jeune fille ne faisant aucun effort pour avaler ces toniques et ces fortifiants.

On finit par s'accorder sur le mal qui flétrissait la beauté de Maï, coupait son appétit et rendait ses traits un peu hâves. C'était l'anémie : « un état général mauvais, dû à l'appauvrissement du sang » avait dit doctoralement un jeune médecin auxiliaire que Bounama avait cru bon de consulter. « Aucune gravité », avait ajouté cet Esculape frais émoulu de l'École de Médecine, « cela arrive fréquemment aux jeunes filles qui sont en âge de se marier. Langueurs, inappétence, dépérissement... Les antidotes sont et demeurent invariables : beaucoup d'aliments ferrugineux et des spécialités pour lesquelles je m'en vais vous rédiger une ordonnance. Veiller également au régime. Que la malade consomme le plus qu'elle peut de légumes. » Puis le jeune médecin s'était retiré gravement, sanglé dans son costume à parements et boutons d'or.

A quelque temps de là, Yacine la responsable, demanda à parler à sa maîtresse. Ce devait être vers les dix heures du matin car elle venait juste de rentrer du marché. Elle paraissait plus triste que jamais. Son regard baissé sur le carreau de la pièce avait quelque chose de sournois. Rihanna, un peu intriguée, s'en fut avec elle dans sa chambre dont elle referma soigneusement la porte.

— Qu'y a-t-il ma bonne Yacine ?

La Responsable se tut assez longtemps, puis elle se mit à parler tandis que des larmes d'une sincérité douteuse coulaient le long de ses joues.

— Je viens de recevoir une lettre de ma mère. Elle veut que je rentre au Oualo. Mon cœur est chaviré. Comment te quitter Rihanna, ô Rihanna, ma bonne maîtresse ! Tu ne m'as jamais considérée comme une « Mbinedane » mais comme une sœur à toi, comme ta sœur Maïmouna. Je suis restée si longtemps dans cette maison de gens de bien. J'aurais voulu demeurer ici toute ma vie, et toute ma vie t'être attachée, dévouée. Que vais-je faire au Oualo ? Elle me dit que je dois y trouver un mari qui m'attend ; mais moi je ne veux pas me marier.

— Cesse de pleurer, ma bonne Yacine, je suis la plus surprise et la plus malheureuse de nous deux, crois-le bien. Je pensais te garder définitivement. Tu m'as toujours donné satisfaction. Toi partie, qui s'occupera désormais de ma maison ? Le service marchait si bien. Mais que veux-tu, ma bonne Yacine, une mère compte avant tout le reste. Moi aussi j'ai une mère, je sais ce qu'il en coûte de désobéir à la sienne. Je ne te conseillerai jamais de t'opposer au désir de la tienne. Tu dis qu'elle t'a écrit ?

— Oui, voici la lettre, dit la Responsable en fouillant ses pagnes, ma mère l'a confiée à une personne qui vient du pays et qui m'a rencontrée dans les parages du marché.

— Garde-la jusqu'à l'arrivée de Bounama. Pour moi, deux questions se posent : où trouver une servante aussi sage que toi ? Et qui va tenir compagnie à Maïmouna, malade, quand tu ne seras plus là ?

— Oh ! C'est que je ne pars pas tout de suite. Je resterai avec vous au moins pendant quinze jours.

— Ah ! Bon. D'ici là, je pourrai sans doute, grâce à mes amies, trouver une personne qui fera à peu près l'affaire. Mais par quels moyens vas-tu rejoindre le Oualo ?

— La saison des pluies approche et les enfants du Oualo rentrent périodiquement par caravanes. On prend le train jusqu'à Louga. Puis, à pied, on atteint Merinaghen, et le canton de Foss.

— Ah ! Tu passeras à Louga ! nota seulement Rihanna. Elle ne voulait pas être obligée d'inviter Yacine à passer voir la mère Daro quand elle débarquerait à Louga.

L'entrevue en resta là.

Le prochain départ de Yacine annoncé à Maïmouna rendit celle-ci rêveuse. Puis, se dominant, elle dit :

— É vaye Yacine, tu vas nous quitter comme ça ?

La responsable eut un sourire contraint, un regard faux.

A midi Bounama s'étonna fort d'apprendre que la brave Yacine allait les quitter.

— Tiens, tiens, dit-il, en dépliant la lettre que lui avait tendue la responsable en présence de Rihanna ; puis il lut ou plutôt il en déchiffra le contenu :

Foss, le 23 mai 193...

Ma fille Yacine Sarr Madiodio

Depuis quatre ans que tu es à Dakar tu m'as écrit

deux fois. Tu ne m'envoies pas toujours de l'argent. Tu m'as laissée seule avec tes frères. Dieu merci, maintenant ils sont assez grands pour aller au champ de niébé et de béréf. Ils vont aussi au manioc. Sans eux je serais morte de faim. Dieu merci car Dieu, chaque fois qu'il fend une bouche, y met du mil.

On sait ici ce que tu as fait à Dakar. Tu n'as pas besoin de le cacher ou de quitter ton pays pour cela. Je veux que tu reviennes cette année, avant l'hivernage. Tu as ici ton mari légitime. Il t'attend, il a des champs et quelques bœufs. Vous garderez le foyer car moi je vais rejoindre Dieu bientôt. Si tu ne viens pas je te maudirai sur terre et dans les cieux. Je suis ta mère et tu dois entendre mes paroles. Reviens le plus vite possible en même temps que tes compatriotes qui descendront pour les prochaines cultures.

Je salue toutes tes connaissances. »

Fatou Yad. Foss.

— Tiens, tiens, redit Bounama, après lecture, c'est malheureux, ma bonne Yacine, mais il ne te reste plus qu'à partir. — Puis il se ravisa : Montre-moi l'enveloppe, dit-il. Il voulait voir le timbre et la date. Mais l'enveloppe était vierge.

— Elle n'est pas arrivée par la poste, ta lettre ?

— Non, c'est une personne du pays qui me l'a remise dans les parages du marché.

— Yacine restera encore avec nous pendant quinze jours, dit sa femme.

— Soit ! Tâche de l'aider dans ses préparatifs.

Puis, se retournant vers Maïmouna restée silencieuse.

— Et toi, Maï, comment vas-tu ce matin ?

Maï se contenta de sourire.

Quinze jours plus tard la Responsable quittait la maison, après avoir beaucoup pleuré dans les bras de Rihanna et sur la manche de Bounama dont le cœur s'attendrit un moment. Ce fut un véritable événement que soulignèrent les voisines par des « a ndei Sane, a goré » interminables.

Seule Maïmouna demeura froide et apparemment hostile, ce qu'on attribua à son mauvais état général.

Les hommes, comme les choses, les chances et les richesses ne demeurent jamais. Telle est encore la vie...

..........................................................................

Au milieu du salon, sur le tapis ciré : séance de « tanni » (1). Le tanni, qui promet des trônes aux princes, annonce les désastres et pénètre le secret des amoureux. Elles étaient quatre : Rihanna, Maïmouna, Silvy, la grande amie de Rihanna, et Kodou, une autre amie très réputée pour son art d'interpréter le « tanni ». Penchées sur l'aire du tapis où les cauris venaient de tomber, elles écoutaient, réfléchissaient, faisaient des commentaires.

— Ah, un mariage, dit Kodou ; un mariage de jeune fille.

— Bah c'est couru ce n'est plus un secret. Ça intéresse Maï.

Un coup sec.

— Quelqu'un qui s'en va, assez loin d'ici.

— C'est probablement Yacine, notre ancienne « mbinedane ».

Un autre coup sec.

— Ah ! Une grossesse, une grossesse de femme.

(1) Tanni : moyen de prédire l'avenir au moyen d'un coquillage.

— Amine, dit Rihanna, qui prit les cauris annonciateurs et les promena sur son front.

— Eh bien ! Une autre grossesse... de jeune fille, cette fois.

— Beaucoup d'argent ; tiens Silvy c'est pour toi.

Silvy prit les cauris et les passa sur son front.

— Un énorme chagrin... et c'est du côté de Rihanna.

— Ah pas de ça ! Au diable les gros chagrins. Amène les enfants, l'argent, le bonheur. C'est ce que nous désirons.

— Que de bœufs Mon Dieu ! C'est pour toi Maï.

Maï prit les cauris et les passa longuement sur son front.

— Mo yène ! la grossesse de jeune fille qui revient.

— Un gros chagrin consolé...

— Un hôte qui arrive.

Et la séance continua. Jusqu'à midi le « tanni » parla de choses et d'autres ; de grossesse, d'argent, de bœufs, d'hôtes qui arrivaient ou qui s'éloignaient, de situations obscures, de joies délirantes, d'énormes chagrins.

Le soir, Galaye vint à la maison accompagné d'un homme qui avait tout-à-fait l'allure d'un marabout ; la tête enveloppée dans un pagne blanc, un gros chapelet à la main, de vieilles babouches aux pieds, il salua très longuement et très religieusement et Galaye le présenta.

— Mon meilleur ami, le marabout, Serigne Elimane. Il a quitté le Lao son pays, pour venir me voir. Il y a quelque temps qu'il est chez moi. Je lui ai parlé des malaises de Maïmouna, de mes intentions, et il m'a demandé de venir ici examiner son cas.

On s'installa, on ferma les portes et on apporta du sable de la cour. Serigne Elimane étendit ce sable, y fit des dessins, et commença ses révélations. La jeune fille, d'après lui, était le jouet des esprits malins en même temps que la victime des langues. Les langues aux propos infernaux qui brûlent tout ce qu'elles nomment. On fit venir Maïmouna qui s'accroupit devant Serigne Elimnae. Celui-ci passa et repassa longuement sa main légère sur la tête de la jeune fille en récitant d'interminables versets et en faisant claquer ses doigts. Puis il s'approcha de sa tête jusqu'à l'effleurer de ses lèvres, y souffla éperdument, l'aspergea de fins crachats à la manière des femmes qui mouillent le linge avant de le repasser. Il demanda de l'eau, sortit de dessous ses vêtements une petite corne à demi recouverte de cuir, la plongea dans l'eau qu'il fit boire ensuite à Maïmouna. La jeune fille congédiée, ils restèrent à écouter Serigne Elimane révélant les manifestations de l'action sournoise des esprits malins, l'avenir de Maïmouna et de son ménage avec Galaye. Avant de partir il promit deux talismans. L'un à attacher dans les cheveux de la petite, l'autre à fixer sous forme de « ndombo » autour de ses reins.

Le lendemain Silvy arrivait aussi avec l'avis d'une féticheuse qu'elle était allée consulter sur le cas de Maïmouna. Mon Dieu, que d'attentions et de prévenances ! D'après cette féticheuse, une sommité de tout le fétichisme régional, Maïmouna ou ses parents avaient eu tort de ne rien sacrifier depuis leur installation à Dakar au génie de ces lieux qui avait nom N'Dack Daour. Maïmouna étant d'origine peuhle avait quelque degré de parenté lointaine avec ce génie. Ce qui fait que, jaloux de la beauté de Maïmouna, il la considérait comme une rivale. Telle était la cause des malaises et des tourments par lesquels ce génie vindicatif voulait amoindrir la beauté de son innocente rivale. La féticheuse demandait qu'on lui envoyât un animal à quatre pattes, d'un pelage uniforme et sans aucune tache, pour apaiser les nerfs de N'Dack Daour et sauver Maïmouna. Elle ne précisait pas davantage sur l'espèce d'animal à sacrifier.

Cela faisait beaucoup d'avis différents ; qui avait raison ? Qui fallait-il croire, de l'homme de science, du marabout ou de la féticheuse ?

En tout cas, Galaye envoya une génisse toute blanche à la féticheuse. Ne fallait-il pas satisfaire à toutes les recommandations pour la santé de Maïmouna ? Rien ne coûte d'essayer. En mobilisant toutes les sciences, les exactes et les occultes, on était du moins assuré de ne rien négliger et de ne pas se tromper tout-à-fait.

## CHAPITRE XVI

Midi hurla sa détresse par cinq ou six bouches de métal à l'intonation grave, âpre ou nasillarde. Midi ! Arrêt du temps, coupé par un énorme coup de cisailles. Des bureaux et des magasins s'écoula la foule des gratte-papier, des vendeurs et des clients. La rue en était pleine à craquer. Pressée, serrée de près par les véhicules, la foule gagnait les trottoirs et fuyait, troupeau apeuré, dans toutes les directions.

Pas question, évidemment, de s'attarder au milieu de la rue pour bavarder, ni de perdre son temps en lentes et pensives promenades ; le rythme de la vie doit suivre le rythme trépidant de l'argent et de l'essence.

Midi s'étalait en nappes chaudes et miroitantes. Le ciel incandescent tombait sur la ville en pans soyeux dont l'éclat aveuglait. Il se mirait sur le goudron brillant des avenues qu'il gonflait de chaleur et de mirages. Il frappait d'une lumière insoutenable les longues murailles grises polies par le temps et les saisons.

Les hommes n'étaient plus à eux-mêmes, mais à la stupeur des choses.

En sortant du bureau, Bounama rencontra, Avenue William Ponty, une sage-femme qu'il connaissait bien et qu'il aimait à plaisanter :

— Alors à quand ce mariage ? dit l'homme.

— Quand vous serez débarrassé de votre « N'Gouka » répondit en riant la jeune femme.

Depuis que Bounama l'avait plaisantée en disant : « Vous savez, Mademoiselle, c'est une épouse comme vous qu'il me faudrait », et qu'elle avait répondu malicieusement : « Oui, certes, si vous n'aviez pas une « N'Gouka », cela ne variait plus. Désormais, chaque fois qu'ils se rencontraient, c'était : « A quand ce mariage ? » Réponse : « Quand vous serez débarrassé de votre « N'Gouka » (1).

— Cela va-t-il toujours ?

— A merveille, comme vous voyez.

Ils échangèrent quelques plaisanteries, puis se quittèrent. Mais une idée traversa le cerveau de Bounama. Il se précipita :

— Pardon, Mademoiselle Jeanne.

— Plaît-il ? Elle s'arrêta, légèrement anxieuse.

— A propos j'avais besoin de vous voir. Un cas peut-être banal à vous soumettre. Mon Dieu je n'y pensais plus. Oui, ma belle-sœur est malade depuis quelque temps. Ça ne va pas, elle a des malaises, elle manque d'appétit, elle dépérit à vue d'œil...

— Vous voulez que j'aille la voir ? Mais avec plaisir. Seulement pas maintenant, il fait trop chaud.

— Oh ! je vous en prie, Mademoiselle, il est midi passé... Non, ce soir, demain, après-demain, enfin quand vous le pourrez. Même si je ne suis pas à la maison, vous y trouverez ma femme que vous connaissez déjà, la « N'Gouka », n'est-ce pas ? termina-t-il en riant.

— C'est bon, j'irai demain dans la matinée.

(1) N'Gouka : perruque ; mot employé péjorativement pour désigner la femme de mœurs sénégalaises.

La fille de couleur parlait avec un léger accent du Sud. Elle devait être du Dahomey ou de la Côte d'Ivoire.

Une frénésie de mouvements s'empara de Bounama au moment de franchir le seuil de sa maison. Il lui arrivait rarement de sentir de tels élans de jeunesse. Il était plutôt de son naturel grave et pondéré.

Et voilà que ce midi là il avait un bonheur débordant au cœur et des refrains aux lèvres. C'est que les journées chaudes peuvent produire sur les nerfs autre chose que l'abattement et la mélancolie. Une excitation qui bande les muscles et brûle le cerveau d'idées voisines du rêve ; n'est-ce pas l'effet le plus rare de la terrible chaleur ?

Contrairement à son habitude, Bounama plaisanta les bonnes, sa femme. Puis, sur un ton de provocation simulée, très paternel d'ailleurs, il aborda Maïmouna : « Toi, dit-il, j'ai trouvé ton remède. »

Sa femme, amusée, s'approchait, rajustant son « N'Gouka », heureuse de voir son mari si familier et si aimable.

— Oui, répéta Bounama, je viens de rencontrer Jeanne, la sage-femme, tu sais celle qui veut te supplanter. Elle seule pourra, détruisant toutes les hypothèses, nous dire ce dont souffre la beauté de notre petite « Linguère » (1).

— Une sage-femme ? s'inquiéta Maïmouna. J'ai peur des sages-femmes. Il paraît qu'elles vous déshabillent et vous fouillent de la plante des pieds aux extrémités des cheveux.

— Celle-là, dit Bounama, ne te fera aucun mal. Rihanna la connaît. Elle promet de venir demain

(1) Linguère : princesse.

dans la matinée... Au fait, cela va-t-il mieux aujourd'hui, Maï ?

— Oh ! Mais je n'ai plus rien moi, dit Maïmouna, en faisant éclater son meilleur sourire, celui qui mettait les hommes sous son charme.

— Alors, fit Bounama perplexe, je vais décommander cette visite.

— Laissez toujours venir Jeanne, intervint Rihanna. Elle pourra nous indiquer des remèdes qui empêchent le retour périodique de ces malaises, de ces fièvres, que sais-je ?

Bounama pénétra dans l'appartement en fredonnant de sa voix de basse. Rihanna revint du côté de la cuisine pour assister comme d'habitude au petit cérémonial du repas qu'on enlève de la marmite.

Et Maïmouna fut subitement envahie par un pressentiment étrange. Bounama, sans le savoir, et tout jovialement, venait de jeter l'ombre d'un doute au cœur de sa belle-sœur.

Elle toucha à peine au repas qui lui fut servi, quoiqu'elle s'efforçât de paraître naturelle et enjouée. Une vision précise passait dans son esprit, qu'elle voulait écarter de toutes ses forces, manquant d'esquisser un mouvement involontaire ou de pousser un cri d'indignation. Toute la soirée il en fut ainsi. Et plus Rihanna parlait de la sage-femme, de ses qualités et de sa douceur, plus le malaise de Maïmouna s'aggravait. Elle piqua un nouvel accès de fièvre plus brûlante que les autres et dut se retirer dans sa chambre.

Le lendemain dans la matinée flottait déjà la pesanteur de l'immense soleil. Les hommes se réveillèrent courbattus, la bouche pâteuse, ayant au cœur la détresse de leur existence citadine aggravée par la nécessité qui exigeait chaque jour, à la même heure, ces réveils pour courir au travail, toujours le même. Ils avaient perdu leurs paradis, les loisirs et les plaisirs innocents. Sans doute s'étaient-ils assuré une existence paisible, mais au prix d'une répétition inlassable des mêmes gestes, au prix de la même insupportable régularité. Comment n'auraient-ils pas regretté ces doux paradis perdus, ces petits villages des provinces sénégalaises où le bonheur régnait dans les familles, ce beau pays aux magnifiques clairs de lune inondant les vastes plaines de sable, et surtout la grande liberté et le repos qu'accorde l'intervalle des deux saisons ?

Mais Dakar les avait pris et façonnés, Dakar ne voulait plus les lâcher. Ils étaient habitués à son tapage, à ses lumières, à ses foules, à ses toilettes, à ses fêtes et même à sa misère...

Comme Maïmouna, ce matin-là, aurait voulu pouvoir se transporter d'un seul coup auprès de sa mère !

Elle en avait assez de ce monde, de ces tracas, de ces attentions multipliées, de ces sages-femmes. Ainsi qu'une bête traquée, elle se mit à songer. Que lui voulait-on au juste ? Il lui semblait qu'elle se trouvait dans un engrenage dangereux ; tous ceux qui l'entouraient ne voulaient-ils pas sa perte ? Depuis la Responsable jusqu'à son beau-frère Bounama. Elle commençait à regarder les murs de sa petite chambre comme ceux d'une prison, des murs qui enferment et qui voient. Elle soupira longuement, fiévreuse. A ce moment, elle entendit un bonjour étrange prononcé en volof, mais avec un accent singulier.

C'était Jeanne, la sage-femme, la métisse du Sud. Rihanna la reçut dans le salon avec la courtoisie d'une femme Sénégalaise bien éduquée.

Jeanne était restée longtemps à Dakar. Elle parlait la langue du pays avec cette application qui distingue les étrangers des autochtones. Après quelques minutes d'entretien avec Rihanna, elle se fit introduire auprès de la jeune fille. Rihanna revint en hâte dans le salon, sortit un verre qu'elle essuya et envoya chercher une bouteille de bière glacée. Au bout d'un quart d'heure, Jeanne sortit avec son même air détaché,le bras droit battant la mesure. Rihanna l'entraîna de nouveau dans le salon, s'excusa de n'avoir que cela à lui offrir et lui servit le rafraîchissement. L'autre but très lentement une première gorgée, très lentement, comme si elle cherchait dans le liquide doré la clef de quelque énigme.

Ensuite, elle plaça son verre sur le guéridon et parla.

— C'est parfait, Madame Bounama, j'ai examiné votre sœur. Rien de grave, rassurez-vous. Je vais tâcher, à midi, de rencontrer votre mari pour lui indiquer les médicaments qu'il doit acheter... La petite a déjà beaucoup de médicaments, c'est magnifique, mais aucun ne convient.

— Je compte entièrement sur vous, Mademoiselle, dit Rihanna. C'est l'unique sœur que j'ai au monde, et ma mère me l'a envoyée de Louga pour que je fasse son éducation. Je ne voudrais pas qu'un malheur lui arrive ici.

— Comptez sur moi, Madame Bounama, dit Jeanne. Puis elle soupira longuement, but le reste de son verre et prit congé, l'air un peu rêveur...

Elle alla directement, avenue William Ponty, au passage où il lui arrivait de croiser Bounama. Elle n'attendit pas longtemps. L'homme arriva bientôt, gros, gras, épanoui, sympathique.

— Bonjour, Mademoiselle Jeanne, comment allez-vous ?

— Très bien, Monsieur Bounama. Je vous attendais.

— Ah !

— Oui, je viens de voir votre belle-sœur... Mais... D'abord, est-ce qu'elle est mariée ?

— Non, fiancée mais pas encore mariée. Qu'y a-t-il ?

— Non, écoutez, Monsieur Bounama, c'est une révélation que je n'ai pas osé faire à votre femme. Mais vous, vous êtes un homme... Votre belle-sœur est en état de grossesse. Je ne risque pas de me tromper puisque, candidement, elle m'a déclaré qu'en effet depuis deux mois et demi elle n'a pas eu d'empêchement pour son salam.

— En état de grossesse ! redit l'autre sourdement.

— J'en suis sûre, Monsieur Bounama. Ou alors... Écoutez, le mieux serait que vous n'en parliez pas tout de suite à votre femme. Elle est si gentille, elle s'affolerait.

— Mais Mademoiselle Jeanne, je ne peux pas ne pas lui en parler !

— Mais si, mais si, Monsieur Bounama, il vous est très facile de combiner une petite histoire et ça ne vous coûtera rien. Par exemple, vous pouvez, dans quelques jours, dire à votre femme, avec preuve à l'appui, que sa mère réclame votre belle-sœur pour la bénir, pour la revoir, que sais-je, avant son mariage... Une fois que la petite sera à Louga, ma foi vous vous arrangerez pour étouffer l'affaire. En tout cas, si votre femme apprenait l'affaire brutalement, elle pourrait en mourir. Je vous en prie, usez de politique, Monsieur Bounama. Tenez, dites que j'ai prescrit un changement d'air dans un climat sec... »

Bounama ne sut que répondre. Sa canne lui pesait dans la main. La rue, bien que débordante de monde, lui paraissait vide.

— J'ai menti à votre femme, termina Jeanne, mais certains mensonges sont plutôt charitables. Au revoir, Monsieur Bounama.

Elle tendit la main à l'homme qui la prit comme en rêve...

Contraste des journées, contraste des humeurs. Hier heureux sans raison, aujourd'hui accablé sous le poids du malheur et de la désillusion sans pouvoir demander de comptes à Dieu...

Avant de rentrer chez lui, le pauvre homme dut faire effort pour retrouver cet air dominateur et triomphant qu'arborent tant de chefs de famille, comme si en dépendait l'assise de l'autorité et du prestige dont ils jouissent. Il empoigna plus solidement sa canne, redressa le buste et tendit les lèvres comme s'il allait siffloter un chant d'allégresse. Mais le sable de la cour paraissait plus épais ce jour-là et enlisait ses pas, l'odeur de la cuisine l'incommodait et la vue des trois « mbindanes » qui escomptaient une plaisanterie plus fameuse que la veille acheva de le décourager. Dans un souffle rauque, poussé du fond de sa poitrine, il hurla plutôt qu'il n'appela :

— Anna.

La femme sortit du salon.

— Diaw, dit-elle, prête à poser une question. Mais l'homme fila vers son cabinet de toilette. Rihanna le suivant dit alors :

— As-tu rencontré Jeanne la sage-femme ? Elle est venue, elle est restée longtemps...

— Oui, fit sourdement l'homme sans se retourner. Elle m'a dit que ce n'est rien, un trouble dans le régime du sang de Maïmouna. Elle m'a d'ailleurs indiqué des spécialités que je commanderai en France si je ne les trouve pas à Dakar.

— Je lui ai offert une bouteille de bière, dit la femme crédule. Elle était contente. Elle est très gentille, Jeanne.

— Tu as bien fait, dit sobrement Bounama, qui se lavait les mains.

Maï que la visite de la sage-femme avait réconfortée, retrouvait toute sa bonne humeur. Ses sombres appréhensions s'étaient évanouies. La sage-femme avait été si aimable. Elle lui avait parlé si gentiment, lui avait posé des questions si simples et si banales. Maï n'en revenait pas.

Elle dit bonjour à son beau-frère avec un élan de sincérité et de reconnaissance très touchant. Puis, sans attendre d'être interrogée, elle se mit à parler, à parler comme inspirée.

— Je n'ai pas du tout eu peur, commença-t-elle. Je m'attendais à être déshabillée, touchée, palpée. Mon corps ne supporte pas la nudité ; j'en aurais été malade de honte. Mais non, la « marmisselle » s'est au contraire assise à côté de moi, comme si nous nous étions connues de longue date. Elle parle d'ailleurs bien le volof, et c'est ce qui m'a d'abord frappée. Naturellement, on sentait bien à son accent qu'elle n'est pas une vraie volof. Ah ! qu'elle est gentille. Elle est jolie aussi dans sa robe moulée couleur de beurre frais.

— Oui, Jeanne est une excellente personne, souligna la grande sœur. Je ne sais pas d'où elle est, mais elle doit être « bien née ».

Bounama ne savait que répondre à tant de discours hors de propos. Il ne pouvait plus regarder Maïmouna en face sans qu'un immense dégoût mêlé de pitié soulevât son cœur. Pourtant il fit un effort pour dire quelque chose.

— Je savais bien que Jeanne saurait nous dire ce dont souffre ta « beauté » prononça-t-il un peu trop sérieusement. Mais ni Maïmouna ni sa sœur ne saisirent la nuance particulière que l'homme avait laissé passer dans cette parole.

— Et qu'a-t-elle dit ? demanda fort ingénument la jeune fille ?

— Rien de grave, fit la sœur à la place du mari, rien de grave sinon que tu as des troubles sanguins.

— Ah !

Et Maïmouna soupira d'aise.

Bounama se fit servir et mangea comme d'habitude en silence. Il lui était désormais impossible de retrouver sa gaîté et sa bonne humeur. La sagesse des vieux et l'expérience des adultes, toutes fécondes qu'elles soient en formules qui expliquent et apaisent, ne pouvaient lui être d'aucun soutien. Jamais un cas pareil ne s'était présenté à la méditation d'un « Kotye Barma » ou d'un Madyakaté Kalla (1). Non, jamais. Une jeune fille enlevée de sa brousse, amenée dans un milieu si distingué, entourée de soins, choyée, surveillée, à qui rien ne manquait ; qui connaissait le grand monde et les hommes les plus illustres de Dakar ; qui était à la veille de se marier avec un homme riche et jeune... Jamais, jamais. C'était inconcevable.

Trop de questions se pressaient dans sa tête, qu'il ne pourrait éclaircir que le jour où la vérité serait connue de sa femme et où Maïmouna aurait à répondre de sa conduite. Mais il redoutait grandement ce jour... D'ailleurs, en suivant le conseil de la sage-

(1) Kotye Barma et Makyakaté Kalla : philosophes volofs.

femme, il ne lui serait jamais donné de poser ces questions, ni peut-être de connaître le fond des choses. Mais si sa femme l'apprenait d'une autre source, se sentant alors dupée, ne pourrait-elle pas dans son malheur se laisser aller aux actions les plus regrettables ? Que faire ?

Pauvre Bounama. Il était seul à garder ce secret qui le brûlait vif. Il était contraint de voir plusieurs fois par jour Maïmouna, la petite ingrate, qui lui souriait, l'abordait et parlait comme si rien ne s'était produit d'anormal.

## CHAPITRE XVII

Tout à coup, au milieu de la nuit étouffante, Rihanna se réveilla en sursaut. Réveillée tout à fait, n'ayant plus un brin de sommeil dans la tête, comme il arrive certains matins où l'on est content de revoir la nature, content et presque heureux. Évidemment elle ne pouvait pas s'aventurer dehors pour voir la nature. La nuit était très avancée, trop avancée...

Instinctivement, elle s'assura que son mari était à côté d'elle. L'homme était là, épais, englué dans un lourd sommeil que rythmait son souffle rauque. Rihanna, rassurée, lui tourna le dos, ferma les yeux et tâcha de retrouver le sommeil. Il ne revint pas, il ne reviendrait probablement pas de tout le reste de la nuit.

Alors les mains croisées sous sa tête, dans une attitude de recueillement, elle ouvrit tout grand les yeux sur l'ombre épaisse et dansante.

En sarabande, des myriades de paillettes luminescentes semblaient monter et descendre, s'étirant et s'évanouissant aussitôt que formées.

Son imagination se fondit dans cette vision ailée, traversa les ténèbres, le toit, et s'en alla dehors à l'assaut du ciel. En même temps son oreille percevait les bruits les plus ténus, depuis le fouinement des insectes invisibles qui progressent sans fin le long des murs jusqu'au glissement de la nuit sur la terre endormie.

Pour échapper à ces images obsédantes, Rihanna laissa errer son esprit sur les événements du jour et ce fut d'abord mille choses futiles qui se succédèrent.

Puis il y eut brusquement une coordination dans ses pensées ; elles convergeaient maintenant vers le même pôle ; l'état de santé de Maïmouna et surtout son avenir, son mariage...

Avantageuse fut alors l'idée qu'elle en eut. Elle se représentait ce mariage avec tout le faste imaginable... Dakar connaîtrait une agitation fiévreuse. Des taxis splendides viendraient de tous les points de la ville chargés du monde élégant, des aristocrates du cru. Les griots chanteraient, tous les griots du Sénégal, accourus pour célébrer les noces de Maïmouna et leur donner une renommée jamais égalée. Des trésors tomberaient comme d'une corne d'abondance. Yaye Daro, parée des atours auxquels pouvait prétendre son âge, recevrait, dans la chambre de Rihanna, tous les compliments qui bouleversent le cœur d'une mère. Et elle, Rihanna, trônerait en maîtresse. Chaque minute réserverait une surprise. Cela tournait au délire...

Rihanna, possédée par l'insomnie, voyait tout cela s'accomplir comme dans la réalité. A côté d'elle son homme dormait, le corps moite de sueur, la respiration bruyante.

Des détails d'organisation compliqués mais astucieux, Rihanna en découvrait au cours de sa songerie, déjà émue du succès et de l'admiration que cette fête lui vaudrait.

Mais la nuit lui semblait longue et plus longue encore l'attente du jour glorieux qui concrétiserait son rêve...

Et tout à coup Bounama se mit à parler et à rire. Il avait la mauvaise habitude de parler en dormant.

La femme écouta ; les paroles issues des rêves exercent une curieuse fascination ; ailleurs, dans un autre monde, l'homme disait : « Croyez-vous, Jeanne ? Mais non, mais non, Maïmouna ne peut pas être en état de grossesse... Non Jeanne... Impossible... Elle n'est pas mariée. Il y a erreur. »

Il se tut, mâchonna quelques autres paroles, inintelligibles, celles-là.

Rihanna, qui voulait en savoir plus long, prêtait une attention désespérée à ces divagations. Mais l'homme, ayant poussé un long soupir, se coucha sur le côté ; sa respiration se fit moins bruyante et il s'endormit tout à fait, pesamment.

Trop et trop peu de paroles. Assez, toutefois, hélas, pour deviner, pour comprendre l'impensable. Insupportable révélation que confirmait à la réflexion le comportement ambigu de Maïmouna, de Bounama et même de la sage-femme. Tout conspirait, cette nuit, à abattre la pauvre Rihanna.

Le lendemain, elle se réveilla, fatiguée, rompue.

Elle ne posa pas de question directe à son mari. Elle hasarda seulement :

— Hé Bounama, hier, je ne dormais pas. Tu as raconté beaucoup de choses dans ton sommeil.

— Pas possible ? Alors c'est comme d'habitude, répondit l'homme très naturellement et il ne dit rien de plus.

Un peu plus tard, lorsque son mari fut parti au travail, Rihanna envoya la petite Kangué auprès de sa grande amie Silvy pour la prier de venir.

Celle-ci ne tarda pas et d'emblée fit à Rihanna le compte-rendu d'une querelle de ménage qui avait surgi entre Ramatta et son époux. Ramatta avait abandonné depuis une semaine le domicile conjugal pour retourner chez ses parents : Scène de jalousie. Le mari « courait » trop et entretenait une danseuse originaire de Diourbel !...

Alors, n'est-ce pas, Silvy avait été commise par l'homme pour faire une tentative de réconciliation. Situation délicate ; enfin à force d'habileté, Ramatta s'était laissée fléchir, non sans avoir exigé deux mille francs de « fayali » (1).

— Immédiatement après, j'ai pris un taxi pour répondre à ton appel, continua Silvy. Qu'y a-t-il, chère amie ?

— Un petit renseignement à te demander. Tu m'excuseras de t'avoir dérangée par cette chaleur.

— Penses-tu, chère amie ! je devais de toute façon venir te raconter l'affaire Ramatta.

— Viens dans ma chambre. Maï nous pardonnera bien de l'abandonner un petit instant, dit Rihanna en souriant.

— Je vous en prie. Je vais chanter, déclara Maï.

Silvy cachait mal sa curiosité. C'était bien la première fois que son amie l'appelait pour une confidence.

Un chant leur venait du salon, modulé par la voix fraîche de Maïmouna sur les éternels thèmes de la beauté, de la vaillance, de l'amour.

— Ma chère amie, commença Rihanna, j'ai aujourd'hui des révélations à te faire et des questions précises à te poser. Nous sommes devenues un peu plus que des amies, presque des sœurs. Le sang noble que je porte ne me permet pas de découvrir certains recoins de mon cœur ou de ma pensée à une

(1) Fayali : cadeau de réconciliation en matière matrimoniale.

personne autre que ma mère ou que toi, Silvy. La maladie de Maïmouna nous a toutes intriguées, n'est-ce pas ? Chaque fois que je me réveille j'éprouve encore le poids de cette énigme. J'en ai perdu mon espoir, ma fierté, mon appétit, et mon sommeil. J'aurais souhaité qu'elle retournât à Louga comme elle en était venue, en très bonne santé. Mais voilà que le sort s'en mêle ; elle dépérit sans que les médecins ou les guérisseurs noirs arrivent à tomber d'accord sur les maux qui l'affectent.

Rihanna se tut un instant, songeuse, puis continua :

— Or depuis la visite de la sage-femme, j'ai remarqué un changement profond chez mon mari. Il a beau se dominer, afficher parfois une gaîté factice, ses gestes, ses paroles et jusqu'à ses attitudes manquent absolument de naturel. Il doit avoir quelque chose sur la conscience. Oui, quelque chose concernant Maïmouna. Ce qui me le confirme c'est un songe qu'il fit la nuit dernière.

Et Rihanna de dire à son amie ce qu'elle avait entendu ; bref Maïmouna devait être enceinte.

— Évidemment, finit Rihanna, je n'ai aucune preuve, rien que des soupçons mais combien mortels pour moi !

— Ma chère amie, dit Silvy, la vie est tellement mauvaise, les gens sont si méchants, si jaloux que je ne crois pas les commérages que j'entends autour de moi. On m'a rapporté depuis plus d'une semaine certains propos malveillants relatifs à la santé de Maï et tenus dans une maison de Tiédème par des femmes dont il n'est pas nécessaire que tu saches le nom. C'est Yacine, votre ancienne « Mbidane », qui aurait soufflé à la domestique de cette maison, une payse à elle, que Maïmouna était enceinte ; que c'est elle-même Yacine qui lui aurait cherché un amant et elle l'aurait, parait-il, maintes fois accompagnée chez ce jeune homme avec qui elle s'enfermait longtemps.

« Je n'ai pas cru utile de te raconter ces histoires avant d'avoir vérifié leur exactitude ; tu sais comme moi qu'à Dakar ces histoires traînent les rues et qu'elles sont le plus souvent fausses. Une chose pourtant m'intrigue et justement, je voulais te le signaler : Yacine n'a pas quitté Dakar, contrairement à ce qu'elle avait décidé.

— Yacine n'a pas quitté Dakar ? sursauta Rihanna.

— Non, Sini Fall m'a affirmé l'avoir vue chez un Syrien ; à l'étage d'une maison louée par des Syriens. En bas, dit Sini Fall, il y a une boutique. La boutique se trouve sur la route de Médine, derrière le nouveau marché. Yacine tenait dans ses bras un bébé syrien. « Dès que nos quatre yeux se sont croisés, a dit Sini Fall, elle est rentrée précipitamment. »

— Si Yacine est encore à Dakar, soupira Rihanna, accablée, tout n'est pas irrémédiablement perdu, on peut connaître la vérité par elle.

Et brusquement, à bout de nerfs, elle fondit en larmes.

D'un coin de son pagne, elle se mit à tamponner ses yeux, mais ses lèvres tremblaient et son nez se pinçait douloureusement.

— Voyons, reprocha Silvy, qu'est-ce qui t'arrive donc ? Mais tu n'as aucune raison de perdre ton sang-froid. Tu te comportes en ce moment comme une grande gamine. Il ne faut pas se laisser démonter par de simples suppositions et des « on dit ». Je suis sûre qu'il te suffit d'interroger Maï pour être rassurée sur son état. C'est une brave enfant et quant à moi, je ne crois pas un mot de tous ces racontars. Tu dois avoir confiance en ta sœur. Tu la connais mieux que quiconque et sa vie privée n'a pour toi aucun mystère. Pourquoi penser à mal ? Tu es injuste au fond. Allons, sèche tes larmes et pense à autre chose.

Sur le cœur de Rihanna ce discours fit quelque effet. Oui, il n'était pas possible que Maïmouna fût coupable. Elle s'en convainquit tout de suite. Maï ne sortait jamais qu'accompagnée. Dans la maison, elle recevait correctement ses visiteurs. D'autre part, quel besoin l'aurait poussée à compromettre son crédit et son avenir par un tel acte de légèreté ? Non, non, mille fois non. Une telle pensée était elle-même coupable.

Rihanna était presque rassurée lorsqu'elle s'en vint avec son amie retrouver Maï dans le salon.

Mais quand Silvy eut soigneusement étudié les traits et le teint de la jeune fille, une peur étrange s'empara d'elle et les battements de son cœur se précipitèrent. La vérité s'étalait sur les pommettes déjà alourdies, dans la pâleur du teint. Elle domina son émotion cependant et reprit l'affaire Ramatta, par le menu pour donner le change.

La quiétude de Rihanna n'était pas parfaite non plus. Son esprit s'évadait, rappelait à lui des circonstances fortuites de la vie de Maïmouna que le passé avait ensevelies et, à la lumière du soupçon, toutes ces choses n'étaient plus si claires. Finies, les espérances qui berçaient Rihanna, cette confiance illimitée qu'elle avait placée en sa sœur, cet orgueil qu'elle avait de sa jeunesse et de sa vertu. L'idée l'accablait que cette Maï si charmante pouvait n'être qu'une fille comme les autres, sournoise et vulgaire.

Déchirée, tantôt elle avait comme une lueur de certitude qui lui glaçait le cœur, tantôt elle croyait trouver dans le meilleur d'elle-même, dans sa raison, de multiples preuves de l'innocence de Maïmouna.

Il en fut ainsi durant toute la visite de Silvy; et il en fut ainsi après son départ et les jours qui suivirent jusqu'à ce que la vérité fût connue, entière et absolue.

## CHAPITRE XVIII

Le marché de Sandaga élevait ses colonnades miteuses comme une énorme termitière équarrie. Une conception colonialiste assez arriérée avait cru devoir l'édifier au milieu de bâtisses trop vieille Europe qu'on avait campées là. Pourquoi avait-on transplanté en Sénégal, où l'homme moyen ignorait aussi bien les palais en pisé de Tombouctou que le dôme du Panthéon, cette pâle imitation d'art soudanais ? Mystère du goût administratif...

Mais les Dakaroises ne s'arrêtaient pas à ces considérations d'ordre esthétique. Dès que la termitière s'était ouverte devant le flot de leurs denrées et de leurs caquets sonores, elles s'y étaient installées sans plus jeter un coup d'œil sur les énormes piliers rouges qui les dominaient, majestueux et sinistres...

Il était seize heures environ quand Rihanna, dans une calèche à deux chevaux passa près du marché de Sandaga pour s'engager dans l'avenue Jauréguibery à la recherche de Yacine, la Responsable.

Elle entra dans la première boutique de Syrien rencontrée et demanda à une grosse femme qui se tenait derrière le comptoir.

— N'avez-vous pas engagé ces derniers temps une « M'Binedane » assez grande et noire de teint qui s'appelle Yacine ?

— Non, répondit l'autre, nous avons deux petites bonnes qui sont toutes petites.

Puis elle alla dans la boutique suivante : sans succès. On lui dit de voir à côté. Dans la troisième boutique dominée par un étage à petit balcon, elle trouva une Syrienne plus énorme que la première. Elle accueillit Rihanna par un large sourire et répondit à la question de Rihanna :

— Parfaitement, nous l'avons engagée il y a déjà quelques temps. Mais elle nous a quittés depuis une semaine. Dommage, c'était une brave femme. Elle travaillait bien, s'occupait comme il faut des enfants.

— Elle ne vous a pas dit où elle comptait aller ?

Dans son dialecte la Syrienne parla avec son mari qui mesurait l'étoffe. Puis se tournant vers Rihanna :

— Si, si, elle m'a dit qu'elle partait pour son pays où l'appelait sa mère. Elle nous a même montré une lettre de sa mère.

Rihanna comprit, remercia et sortit.

Le jour était encore loin de finir, mais à Rihanna il sembla que le crépuscule était déjà venu. Elle se sentit petite, diminuée, annihilée par la honte dont le monde la voyait couverte. Sans conviction elle regagna la calèche pour s'y réfugier. En repassant près du marché, elle eut peur de toute cette foule dont le mouvement l'accablait. Pourtant un instinct l'avertit qu'en examinant bien cette masse d'humains elle trouverait celle qu'elle cherchait : la perfide Yacine. Instinct trompeur, recherche vaine, elle ne vit pas la « M'Binedane ».

Un entretien solennel eut lieu après dix-huit heures entre Rihanna et son mari.

— Qu'as-tu donc Anna ? avait dit l'homme en rentrant du bureau. Tu m'as l'air bouleversée. Dis-moi, qu'y a-t-il ?

— Un grand chagrin, répondit la femme, un chagrin dû non à ce qui est irrémédiablement compromis, mais au sentiment bien net que tu me trahis et que je ne suis plus ta femme.

L'homme eut un haut le corps et ouvrit la bouche pour répondre.

— Ne m'interromps pas, continua Rihanna. Ne m'interromps pas. Depuis notre mariage, tu ne m'as jamais rien caché. J'étais au courant de tes pensées les plus intimes, tu me faisais part de tes moindres tristesses, tu m'ouvrais ton cœur à tout propos. Aujourd'hui, je constate avec douleur qu'en ce qui concerne Maïmouna tu m'as toujours trompée. Ce qui est criminel, car Maïmouna étant ma sœur, son honneur est le mien. Il n'y a rien dans sa vie que je puisse ignorer.

— Mais que se passe-t-il donc au sujet de Maïmouna ?

— Tu me le demandes à moi après avoir consulté ta sage-femme ? Elle est, je pense, bien plus renseignée que moi. Allons, Bounouma, ne joue pas à l'étonné. Tu sais aussi bien que moi que Maïmouna est enceinte. Tout le monde le sait autour de nous et j'ai été la dernière à l'apprendre.

L'homme fut cloué sur place. Il ne savait pas s'il fallait nier ou acquiescer.

— Pourquoi m'avoir caché la vérité ? De toute façon tu n'es pour rien dans ce qui est arrivé. Nous avons fait ce que nous avons pu : nous avons assuré à Maïmouna un maximum de bien-être, nous l'avons entourée d'une surveillance à toute épreuve. Et il faut qu'elle soit une chienne pour nous déshonorer pareillement. Mais toi, en me cachant la vérité, tu m'exposais à la pire des hontes dans une société où je n'ai jamais baissé la tête.

L'homme trouva une planche de salut.

— Assurément Jeanne m'a parlé de la grossesse de Maïmouna. Mais je ne pouvais pas et je ne peux pas encore y croire. Je n'ai pas voulu me fier à sa science, car enfin Rihanna, comment la chose serait-elle possible dans les conditions de vie de Maïmouna ? Je me proposais cette semaine de l'accompagner chez un docteur européen de mes amis et j'attendais cette visite pour te mettre au courant. Pourquoi aurais-je parlé alors que le diagnostic de la sage-femme pouvait être faux ?

— Tu penses donc que Maïmouna est innocente ?

— Oui, je le pense.

Rihanna quitta la chambre sans ajouter un mot et revint bientôt accompagnée de la jeune fille.

— Assieds-toi, Maï, dit-elle.

Puis s'adressant à l'homme, elle dit d'un ton de défi :

— La voilà devant nous, Bounama. Interroge-la.

L'homme s'étonna de la brutalité de sa femme.

— Ce n'est pas ainsi qu'on traite les choses, dit-il avec gêne.

— Je veux en avoir le cœur net, moi ! cria la femme.

L'homme dut en prendre son parti :

— Dis-moi, Maï, depuis combien de temps n'as-tu pas eu d'empêchement pour accomplir tes prières ?

— Depuis trois mois, dit naïvement la jeune fille.

— Et qu'est-ce qui t'empêche d'avoir tes règles ? s'écria vulgairement la Rihanna.

— Doucement, fit son mari. Elle n'en sait rien. Je t'en supplie, Rihanna, modère un peu tes propos. Donc Maï, voilà trois mois que tu n'as pas eu d'empêchement. Est-ce que tu as un ami autre que ton fiancé Galaye ? N'aie pas peur, parle.

— Oui, dit la jeune fille.

Sa sœur se dressa, hors d'elle.

— Ah ! tu as un amant ! Chienne !

— Doucement Rihanna. Bon — Et comment s'apelle cet ami ?

Maïmouna hésita, les yeux baissés.

— Je ne peux pas vous livrer son nom, finit-elle par dire.

Rihanna éclata d'un rire hystérique et fit claquer ses mains.

— Ciel, quelle impudence ! Venez donc écouter ça : je ne peux pas vous livrer son nom ! Oui, tu as préféré lui livrer ton corps, n'est-ce pas ? Ah, quel malheur !

Et elle s'écroula sur le lit, secouée par des sanglots.

— Mais si, Maï, continua Bounama avec patience, il est indispensable que tu nous dises son nom. Il n'y a rien de mal à ça.

— Je ne peux pas.

— Alors dis-moi ce qui s'est passé entre vous. Où l'as-tu connu, comment l'as-tu connu ?

— Je l'ai vu plusieurs fois au cinéma et je l'ai aimé.

— Pourquoi, alors, n'as-tu pas ouvert ton cœur à ta sœur ou à moi ?

— Je ne comptais pas le connaître davantage, mais c'est Yacine la « M'binedane » qui me poussait nuit et jour.

— Tu aurais dû nous le dire.

— J'avais peur et je ne savais pas... Je ne savais pas que... qu'il y avait quelque chose de mal à connaître les jeunes hommes.

Bounama fut touché jusqu'au cœur. Il en savait assez, mais restait le nom du séducteur que Maïmouna refusait de donner.

— Maintenant que tu as tout avoué, dis-moi comment s'appelle ton ami, où habite-t-il, où travaille-t-il ? Car ce n'est point pour lui faire du mal, mais il faut qu'il t'honore et qu'il reconnaisse ton enfant quand il sera né. Vous pourrez même vous marier si tu l'aimes encore.

— Je ne peux pas dire son nom, déclara tranquillement Maïmouna.

# CHAPITRE XIX

Le train siffla longuement. Adieu Dakar, ville dangereuse, ville de perdition.

Déjà, la locomotive respirait avec plus de régularité. Le paysage filait.

Maïmouna regardait le paysage à travers la toile métallique de la portière. Maïmouna calme, muette. Elle retournait au bercail, après l'aventure. Que lui importait qu'on la chassât. Son expérience de Dakar était complète à présent. Elle ferma les yeux et se laissa aller aux mouvements du wagon. Pour le moment, ne rien penser. Livrer son cœur à l'oubli de ce qui fut, de ce qui serait. Abandonner son corps au repos, son corps et ses pensées au léger et délicieux vertige approfondi par l'allure du train.

On s'arrêta à Thiaroye. Quelques femmes couraient le long des wagons, présentant aux voyageurs des tubercules de manioc bouilli étendus sur des vans, ou de longues cannes à sucre. Maïmouna jeta à peine un coup d'œil sur ce monde insouciant ou affairé.

Le train venait de repartir quand Maïmouna éprouva l'envie de revoir Dakar encore une fois... Elle se leva et gagna d'un pas mal assuré la plateforme du wagon, du côté où il n'y avait personne. La ceinture de blocs blancs cristallisés que présente la ville impériale vue de loin s'offrit à elle en même temps que la citadelle de Gorée, incrustée de nids gris, et les silhouettes des bateaux en rade.

Tout cela semblait danser comme sur un miroir ; tout cela semblait flotter comme sur l'écran du cinéma Rialto.

Une poignante nostalgie s'empara d'elle. Elle commença d'éprouver toute la perte qu'elle venait de subir. Elle situa tant bien que mal la rue Raffenel dans ce paysage qui fuyait. Elle revit comme en songe des figures chères ou simplement familières. Mais le train courait à perdre haleine.

Tout à coup elle sentit une main posée sur son épaule. Elle sursauta et se retourna vivement : Doudou Diouf se trouvait en face d'elle, le regard douloureux, la mine grave. Elle en crut rêver.

— Toi, Doudou, dans le train ? s'écria-t-elle.

— Entrons dans le wagon, dit le jeune homme en lui prenant la main.

Dans le compartiment, Maïmouna éclata en sanglots.

— Allons, Maï, ne pleure donc pas. Causons plutôt, je suis venu pour cela.

La jeune fille soupira longuement, essuya ses larmes.

— Qui t'a dit que je partais aujourd'hui ?

— Personne.

— Tu savais donc qu'on devait me chasser ?

— Oui, Yacine me l'avait dit. Elle ne savait pas quel jour tu devais quitter Dakar, mais elle était sûre que ce serait dans le courant de la semaine ou de la quinzaine. Alors, depuis quatre jours, tous les matins, je me rendais à la gare.

— Tu voyais donc Yacine ?

— Très fréquemment. Elle me mettait au courant de toutes les misères que te faisait ta sœur.

Je ne sais qui la renseignait puisqu'elle a quitté la maison. En tout cas, rien ne lui échappait de ce qui se passe là-bas.

— On dit qu'elle est toujours à Dakar ?

— Parfaitement. Elle travaillait chez une syrienne, avenue Jauréguibéry, et quand une amie de Rihanna l'a dévisagée un matin, elle a aussitôt quitté sa place pour ne pas être retrouvée.

— Ah ! cette Yacine, je lui dois tous mes malheurs...

— Comment donc Maï, tu regrettes de m'avoir connu ?

— Non, bien sûr, Doudou, mais songe à toutes les misères que j'ai eues à cause de ... nos relations. Rihanna était décidée à me tuer. Si je vis encore c'est grâce à son mari, un brave homme... Un matin Rihanna m'a prise à la gorge. Regarde, tu verras encore les traces de ses ongles sur mon cou. Il n'y avait personne dans la maison ; les bonnes étaient au marché.

Elle se remit à pleurer à ce souvenir.

— Allons, Maï, ne pleure plus, tout cela est passé.

— C'était pour me faire dire ton nom, hoqueta Maï.

— Et ils ne savent rien ?

— Rien de moi en tout cas. J'avais peur qu'ils ne te fassent du mal ; j'ai entendu Bounama dire un jour qu'il te traînerait devant le tribunal ou te brûlerait la cervelle.

— Pour ça, il n'aurait pas pu. Enfin... Parlons d'autre chose. Je suis rudement content Maï de te revoir. Voilà trois mois qu'on ne s'est pas vus. J'irai avec toi jusqu'à Kelle pour redescendre par le régulier de Saint-Louis. Que comptes-tu faire à Louga ?

— Que veux-tu que je fasse ? Je resterai à côté de ma mère jusqu'à ce que Dieu me délivre. Et puis...

— Écoute, Maï, je ne suis pas un garçon ingrat et criminel. J'ai décidé de t'épouser si tu m'aimes encore et si ta maman est d'accord avec toi là-dessus. Je ne suis pas riche, il est vrai, mais j'ai ma famille à Dakar et ma situation peut s'améliorer un jour.

— Tu sais bien, Doudou, que je ne t'aime pas pour ce que tu as, ou ce que tu peux avoir. Je t'aime simplement parce que je t'aime. C'est Dieu qui l'a voulu ainsi.

— Alors n'aie crainte. Console-toi et attendons.

Ils bavardèrent tant que les gares de Rufisque, Bargny et Sebikotane passèrent sans qu'ils s'en rendissent compte.

A Pout, Doudou acheta des bananes et un panier de gros piments pour la mère de Maïmouna.

L'un près de l'autre, très tendrement, tout semblait facile. Ils n'étaient jamais restés aussi longtemps ensemble, ils n'avaient jamais été si heureux. Maïmouna dévorait les bananes avec joie.

— Dès que tu arriveras à Louga, tu parleras à ta mère, et tu tâcheras d'obtenir qu'elle-même m'écrive. Je serai sûr, comme celà, que l'accord est donné. Et surtout pas un mot à ta sœur et son mari. Ce n'est pas que je craigne quoique ce soit, mais il vaut mieux que nous arrangions nos affaires sans eux.

— Ce n'est pas moi qui leur adresserai la parole, surtout à Rihanna ; elle s'est comportée à mon égard comme ne l'aurait pas fait une étrangère. Elle a même repris tout ce qu'on m'avait donné : la machine à coudre, la montre-bracelet, la plus grande partie de mes vêtements et de mon or.

— Bah ! C'est qu'elle tenait trop à te marier à un homme du genre de son type, riche, orgueilleux, un de ceux qui se prennent pour l'aristocratie du Sénégal.

— « Tiam » (1). Rien ne me dégoûte comme ces personnages qui étalent leurs richesses et se croient grands parce que des griots les flattent à longueur de journée. Je n'ai jamais osé rien dire, mais mon cœur se révoltait constamment en leur compagnie.

— Que veux-tu, ce sont des parvenus ; ils sont d'un autre monde, un monde d'ailleurs sur le point de mourir...

Mais qu'avait donc ce train ? Il avançait à peine. On eût pu en descendre, muser, se promener un moment dans le paysage et rejoindre sans se presser. Tous les voyageurs étaient aux portières et narguaient la locomotive qui crachait d'épaisses vapeurs. Allons, tire donc !

Le train affrontait simplement la forêt de Kagne. La légende de ce « Kagne », vous la connaissez aussi bien que moi. Kagne était un farouche propriétaire, jaloux de sa forêt. Il n'aimait pas qu'on la traversât. Il pillait et rançonnait tous ceux qui s'y risquaient. Et quand le train avait violé ce régime douanier, Kagne avait d'abord mordu les rails pour les faire sauter. Mais n'ayant pas de canines assez solides pour cette besogne titanesque, il avait disparu dans sa forêt en jurant. Depuis, on ne l'a jamais revu. Il semble pourtant que sa mauvaise volonté s'oppose toujours à la marche du train surtout quand celui-ci prétend venir de bas en haut. Dans le sens contraire, l'esprit vindicatif de Kagne se manifeste en menaçant de précipiter le convoi dans quelque gouffre.

Les hommes avaient déjà payé un lourd tribut

(1) « Tiam » : expression de mépris.

à cette forêt de Kagne. Ils la redoutaient encore et se regardaient peureusement quand le train soufflait et crachait, épuisé, ou qu'au contraire sa masse l'entraînait à une vitesse de bolide.

Maïmouna jeta un coup d'œil par la portière et frémit. Que de ravins profonds...

Enfin, à force de suer et de s'esquinter, le régulier — qui l'était fort en cet endroit — franchit le dernier rempart montagneux de la forêt de Kagne et reprit son allure de fanfaron.

Et Thiès égailla ses toits hétérogènes.

Doudou descendit à la gare et acheta au buffet deux bouteilles de limonade glacée.

Thies est une gare sans caractère. Ni la ville, ni la brousse. Beaucoup de poussière jaune en bas et de nuages de charbon en l'air. Le train y resta cependant longtemps, comme pour soigner ses meurtrissures. Il ne bronchait plus. La locomotive se laissa docilement dételer. On lui fit étancher une longue soif et elle rebroussa chemin comme un monstre dompté.

Le train se décida finalement à partir.

A la gare de Thiès étaient montés deux militaires blancs. L'un semblait visiblement surchauffé par la température de l'heure et par quelques tournées d'adieu particulièrement alcoolisées. Il se laissa tomber sur le siège de raphia, écarta les jambes, souffla avec lassitude et dit à Doudou Diouf :

— Oh dis, le nègre, elle est superbe, ta « djiguène » (1). Hein ! ça on peut le dire.

Doudou ne tenait pas à faire du scandale.

— Que dit le blanc ? demanda Maïmouna.

(1) « Djiguène » : femme indigène (péjorativement) du Sénégal.

— Il dit que tu es jolie, répondit-il simplement.

Le train prit la direction de Tivaoaune. Et les essieux grinçaient lamentablement.

— Où va-t-elle ta « djiguène » ? reprit le blanc.

— A Louga, dit Doudou.

— Alors, tu voudrais pas la marier à moi, des fois ? Je te garantis qu'elle ferait mon affaire. Hein ?

— Allons, fous-leur la paix, s'emporta son camarade.

— Heu ! Est-ce que ça te regarde toi ?

— Ça va, ça va, laisse tomber.

Le soldat se tut, la chaleur l'écœurait. Il souffla plus fort, écarta davantage les jambes et se mit à balancer la main en guise d'éventail.

— Sale bled, dit-il sourdement.

Doudou et Maï se levèrent pour aller sur la plateforme ; ils virent fuir sans plaisir les mornes paysages du Cayor.

Deux gares encore après Tivaoaune, et ils se quitteraient. Dieu seul savait pour quand.

— Tu ne regrettes pas Dakar, Maï ?

— Près de toi non, si tu pouvais venir à Louga, j'oublierai complètement Dakar.

— Hélas !... Mais je te ferai retourner là-bas dans peu de temps. Dis-toi, sans cesse, que notre séparation n'est que momentanée, et tu ne seras jamais soucieuse.

Tivaouane passa avec ses alcôves de manguiers. Jolies femmes et dignes marabouts sous leurs parasols de soie.

Puis Pire, puis Mecké, où nos deux militaires descendirent.

Et en avant pour Kelle, lieu de la séparation. Doudou et Maïmouna regagnèrent le compartiment. Leur voix se fit plus mélancolique. Ils avaient, sans le vouloir, des gestes d'adieu. Ils tremblaient parce que l'avenir était incertain. Quelques caresses, une larme, un sanglot...

Quand la locomotive siffla sans pitié, Doudou mit dans la main de Maïmouna une enveloppe gonflée et un paquet ficelé.

— Ne m'oublie pas, Maï, dit-il très ému. Compte sur moi et écris souvent.

Ils tombèrent dans les bras l'un de l'autre et se mirent à pleurer, comme des enfants.

Le train s'était arrêté.

Et Doudou eut juste le temps de sauter sur un marche-pied du régulier de Saint-Louis qui s'éloignait déjà en sens inverse : « Adieu, Maïmouna, adieu ».

Restée seule, Maïmouna ouvrit l'enveloppe ; elle contenait mille francs en billets de cent épinglés. Elle la mit dans son sac à main et défit le paquet. Celui-ci contenait quatre photographies de Doudou, des photos très artistiques. Ce garçon savait vraiment s'habiller et prendre des attitudes avantageuses. Ces photos seraient ses compagnes les plus fidèles, le miroir où elle regarderait l'image de son Doudou chéri.

Vers l'ouest, le pays de Louga s'annonçait par des valonnements.

La jeune fille ressentit une vive émotion. Jusqu'ici c'était le rêve ; la réalité allait apparaître. Des gens qu'elle connaissait allaient se présenter, étonnés de la voir revenir. Que de questions seraient posées à son sujet ! Décidément les hommes étaient une espèce damnée. Ils ne pouvaient s'enfermer dans leur coquille et ignorer le sort du voisin. Au diable, hommes cupides, indiscrets et dépravés !

Yaye Daro et Mâme Raki étaient à la gare. Elle

se dirigea vers les wagons de troisième, fouilla du regard les compartiments, heurtant comme une somnambule des personnes sur son passage.

Quelqu'un lui dit que Maïmouna se trouvait de l'autre côté, en queue de convoi. Drôle d'idée. Elle revint donc sur ses pas, suivie tant bien que mal par la vieille Raki. Maïmouna était gênée dans le wagon, où se bousculaient ceux qui voulaient descendre et ceux qui voulaient à tout prix monter. Yaye Daro appela :

— Maïmouna !

Yaye Daro joua des coudes et des épaules comme tout le monde, franchit le marchepied et pénétra dans le wagon. Maïmouna se précipita en ses bras. Mais ce n'était pas le moment des longues effusions. On était pressé. Par-dessus leurs têtes des voyageurs installaient des paniers et des valises. Elles descendirent enfin.

Mâme Raki accueillit la jeune fille avec un sourire édenté, noir et triste.

— Hé voilà ma petite fille, ricana-t-elle, la voix chevrotante.

Yaye Daro était fière de sa Maï dont la beauté et la taille attiraient les regards. Beaucoup de connaissances accoururent pour la saluer. On sortit de la gare, la mère tenant la valise et portant un panier, la vieille prenant le deuxième panier.

— Hé, ma Maï chérie. Qu'est-ce qui t'amène donc ? C'est hier soir que j'ai reçu la dépêche de Bounama. Tu es sûrement venue nous voir ? Mais Bounama a ajouté qu'une lettre suivait sa dépêche.

— Ah ! Mère, comme je suis heureuse de vous revoir ! Vous me manquiez tellement. A Dakar, il y a trop de jeunes. Il n'y a pas de grandes personnes comme vous pour animer la conversation. Que deviennent les anciennes camarades, Salma, Alima et Karr ?

— Elles sont toutes là, et devenues de grandes filles comme toi. Alima, du reste, va se marier bientôt. Mar Sylla a demandé sa main. Tu connais Mar Sylla, le gérant de la maison Maurel ? Autre chose : la famille de Karr — je dois le dire à voix basse — tout le monde la fuit à présent. Demande un peu ça à grand-mère Raki.

— Hum, dit la vieille. En tout cas, cette famille est actuellement la « chanson » du bourg. Oui, Karr avait invité certain dimanche un jeune homme de ses amis, un commis originaire de Saint-Louis. qui travaille à la maison du Commandant. Comment s'appelle ce jeune homme, Daro ?

— Je n'ai jamais su son nom.

— N'importe. Alors, elle lui a, dit-on, fait une omelette et qu'est-il arrivé ? Le soir même, le jeune homme eut chez lui des maux de ventre, des vomissements et des crises qui ont ameuté tout le quartier. Fort heureusement, une intervention de Serigne Thierno suffit pour arracher ce jeune homme à la mort. Tout le monde savait qu'il avait mangé une omelette chez Karr. Ah ! l'omelette de Karr ! Jamais omelette n'a été aussi célèbre. Je crois que le jeune homme est revenu avec une cravache et les a traités de « deum » (1) en insultant tous leurs grands aïeux.

On s'arrêta un nombre incalculable de fois en chemin pour expliquer à chacun le retour de Maïmouna. Et quand on repartait, les gens disaient par derrière :

— Elle a rudement embelli, la petite. Est-ce naturel ?

(1) « Deum » : sorcier, mangeur d'« âmes ».

Yaye Daro et Mâme Raki auraient voulu raconter à leur Maï tous les petits événements survenus à Louga depuis deux ans et demi. Mais la route n'était pas si longue entre la gare et leur concession. Impossible de tout dire.

La case restait la même, humble et triste. Mais le toit avait été renouvelé l'hivernage précédent et les cloisons de joncs brillaient d'un éclat de jeunesse. Une porte en planches neuves avait remplacé l'ancienne. Yaye Daro avait soigneusement nettoyé les abords immédiats de la concession.

Maïmouna eut un long regard pour ces lieux qui l'avaient vu naître et qu'elle entrevoyait si souvent dans les rêveries de son existence oisive de Dakar. Elle revit avec émotion le poulailler vide, la cuisine basse et enfumée, et l'humble grenier à mil. Tout cela, en un sens, était gros de poésie, tout cela ressuscitait déjà tant de souvenirs qui seraient peut-être les meilleurs compagnons de sa solitude.

Dans la case, il y avait maintenant deux lits, l'ancien lit en bois de la mère et un autre en fer, très simple qu'elle avait récemment acquis dans une vente aux enchères.

— Ah ! Tu as deux lits, mère ? J'en suis bien contente.

On s'assit pour souffler un peu. Et ce fut au tour de Maï de parler de Dakar, de ses monuments, de ses foules et de ses nombreux véhicules. Non, ce n'était pas une ville, c'était un monde entier. Elle parlait avec volubilité, en riant sans cesse.

Un petit tumulte d'ailes se produisit tout à coup dehors. C'était la volaille, la volaille qui rentrait après une randonnée folle dans le village. Cette volaille, en avait-elle valu des jurons et des gros mots à la pauvre Daro ! On disait sans scrupules : « Bien sûr, c'est encore les bêtes à Daro. Dieu de Dieu qu'elle les garde donc chez elle. » Maintenant ces terribles volatiles rentraient en petite colonne paisible. Seul le coq entendait prolonger ses exploits ; il n'avait pas fini de poursuivre les poules, et de les culbuter...

Maïmouna dit : « Ah ! la volaille », et elle sortit un moment comme pour leur dire bonjour. Mais depuis deux ans et demi le lot s'était renouvelé au moins deux fois. D'ailleurs la gent ailée, intimidée par cette créature inconnue, prit ombrage et s'enfonça en caquetant dans le poulailler.

## CHAPITRE XX

Maïmouna déballa sa valise et ses paniers. Mâme Raki était rentrée chez elle. Malgré la familiarité qu'on avait avec elle, il n'était pas tout à fait raisonnable de tout exhiber en sa présence.

Dès le premier geste Maïmouna découvrit une enveloppe qui contenait des billets de banque. Combien ? Elle compta trois mille francs.

— Je parie, dit-elle, que c'est Bounama qui aura glissé cette provision dans mon panier. Elle tendit l'argent à sa mère :

— Pourquoi ? dit celle-ci, les yeux brillants, mais discrets et pleins de sang-froid.

— Je te dirai après, mère.

Elle exhiba des boubous, des pagnes, des mouchoirs de tête, des bijoux et quelques chaînettes en or. Du deuxième panier, Maïmouna sortit sa poupée, l'éleva très haut et la contempla un moment.

— Eh, Maïmouna, ça c'est une vraie personne, s'exclama la mère.

Les « Toubab » (1) sont vraiment des diables. Quelle différence avec Nabou. Elle se leva et alla chercher Nabou. Confrontation... Nabou n'avait aucun avantage à en retirer.

— Nabou, dit la mère, tu as maintenant une ri-

(1) Toubab : Européen.

vale. Il va falloir que tu te défendes, elle est rudement belle ta rivale.

Et, s'adressant à Maïmouna :

— Comment l'appelles-tu, cette belle petite personne ?

— Elle n'a pas de nom, dit l'autre, en fourrageant dans les paniers.

— C'est dommage, déclara la mère, rêveuse.

— Quelques-uns l'appelaient : « Étoile de Dakar », mais personnellement, je ne lui ai jamais donné de nom.

Les deux lits étaient couverts d'effets et d'atours. La mère en était ahurie.

— Mère, lança Maïmouna, comme si elle devinait l'admiration de Yaye Daro, j'avais beaucoup plus que ça, Rihanna m'a tout pris. Rihanna, mère chérie, ne semble pas être pour moi une sœur de mêmes parents. Enfin, je te raconterai.

— Au fond, que s'est-il passé entre vous deux ?

— Je te dirai tout, mère. Mais laisse-moi arriver et respirer un peu... Tiens, ce pagne et ces deux mouchoirs, je les ai destinés à Mâme Raki.

— Comme elle va être contente, la vieille ! Tu as bien fait Maï de penser à elle. Durant ton absence, elle seule me soutenait et m'aidait à supporter ma solitude.

Maïmouna se mit à fredonner des airs qui rappelaient l'atmosphère de Dakar.

Elle se familiarisa très vite avec la volaille et reprit des habitudes avec la concession familiale.

Quelque chose poussait Maïmouna à frôler les palissades, à caresser leur crête tranchante, à dégainer de longs roseaux lourds de la suie que le temps y avait déposée. Elle les émiettait en jetant les débris autour d'elle et demeurait un moment figée devant la barrière des cases voisines dont les toits tranquilles exprimaient une telle solidarité. Voilà la vraie nature. Les arbres balançaient mollement leur maigre feuillage. Des rameaux craquaient et tombaient. Des coqs chantaient à toute heure et le soleil, encore bas, louchait. Perfidement, les fillettes et les garçonnets s'interpellaient à se rompre la gorge : « Oh, téné Ah ! viens ici ! viens donc ! oh ! ah ! oh ! ah ! » Et dehors la rue s'allongeait, blanche, prometteuse de promenades et d'excursions.

Maïmouna se rappelait Dakar : un souvenir de pierre, froid, imposant. Un monde étriqué, ne permettant aucune détente du corps et de l'esprit. Ici, au contraire, elle se sentait en sécurité, dans cette petite cour sableuse où les tourbillons faisaient valser des fétus de paille. Qui oserait maintenant venir braver la Daro en trouvant quelque chose à redire sur la conduite de sa fille ? Maïmouna sentit combien la protection maternelle était douce et vraie. Oui, elle attendrait, dans cette paisible retraite, le fruit de ses amours avec le bien-aimé. Elle aurait le temps de retremper son âme dans ce bain de souvenirs. Son cœur s'accordait très bien à ce renouveau, d'autant mieux qu'il n'était que transitoire. Certain jour, elle retournerait à Dakar et ne serait plus esclave du protocole et des hautes murailles de son ancienne prison. Doudou irait habiter avec elle, et Yaye Daro peut-être, quelque part à la « Gueule-Tapée ». Ils formeraient un couple jeune et vivraient heureux. Doudou était un garçon évolué et Maïmouna ne détestait pas la vie à l'européenne, modeste et rangée.

Ces beaux rêves faisaient qu'elle n'avait pas du tout honte de son état et ne se préoccupait pas de ce que le bourg pouvait deviner ou inventer...

La lettre de Rihanna arriva bientôt, pleine de douleur et de regret. Maïmouna n'avait plus rien à cacher. Elle se raidit, prête à la réplique, et, enfin, s'expliqua ouvertement à sa bonne mère.

— J'avais toujours redouté ce qui t'est arrivé, dit la mère Daro. Dieu l'a voulu. Loin de moi le crime de t'adresser le moindre reproche. Rihanna est allée un peu trop loin. Certes, sa déception explique son injustice à ton égard. Elle aurait aimé que tu suives ses traces : mariée sous le toit de ta mère, avec les honneurs rituels. Mais les enfants naissent où Dieu l'a prédit et de la manière dont il l'a prévu. Nous n'y pouvons rien. Je répondrai à la lettre de Rihanna pour essayer de la raisonner et de la calmer. Car elle ignore que tu n'as rien perdu au fond. Si, comme tu le dis, le père de ton enfant est décidé à t'honorer et à t'épouser, je ne vois pas en quoi le dommage est si grand. Mais, en es-tu sûre Maï ?

— Il est impossible d'en douter, répliqua la jeune fille. Il m'a accompagnée jusqu'à Kelle et me l'a affirmé. Il pleurait même...

— Ainsi, c'est donc cette « m'binedane »... Ah Dieu ! mon marabout l'avait dit ; une femme effacée qui vit très près de Maïmouna. Serigne Thierno ne se trompe jamais Maï. Il l'avait dit.

— Je n'aimais pas les hommes qui fréquentaient chez Bounama et qu'on voulait à tout prix jeter dans mes bras. Ils étaient trop bruyants et tous étaient déjà mariés à deux ou trois femmes. J'aurais été la quatrième ou la cinquième, adulée pendant quelque temps, délaissée après. Rihanna verra que je ne suis pas une ratée comme elle le pense. Elle aura honte. D'ailleurs, je ne veux plus la voir, il n'y a plus rien entre elle et moi ; à son mépris, j'oppose désormais la haine.

— Ne jure pas ainsi, Maï. Allons, c'est fini. Toutes deux vous oublierez plus tard cet incident. Cela arrive qu'on se dispute. La langue et les dents cohabitent, mais bien souvent elles se chamaillent pour se remettre d'accord aussitôt après.

— Je n'oublierai jamais les misères que Rihanna m'a fait endurer, ses paroles blessantes, ses injures, son mépris, son orgueil. Est-ce que Rihanna est plus que moi pour me traiter de la sorte ?

— C'est bon, Maï, calme-toi.

— Oui, j'avais une machine à coudre, beaucoup de bracelets en or. J'avais une montre et des colliers. Elle m'a tout pris injustement. Bounama n'a pas réussi à la convaincre de me laisser mes affaires. Malhonnête qu'elle est ! Elle ne peut pourtant pas dire que ces choses lui appartenaient. Mais elle a eu le toupet de me dire : Oui, si on te les as données, c'est grâce à moi. Tu ne les mérites pas et tu ne les emporteras pas, je les confisque.

— Est-ce que dans Dakar on sait ?

— On doit savoir maintenant, c'est probable. Mais que m'importe !

La mère Daro poussa un soupir.

Dans l'ombre de la case endormie, la mère, ce soir-là, eut un long tête-à-tête avec elle-même. Qu'elle était enfantine cette bravade de Maïmouna ! Les choses ne se passeraient pas aussi simplement qu'elle le croyait. Ce bourg de Louga si malveillant et si friand de potins ne jugerait pas sa conduite comme une réaction naturelle contre la tyrannie d'une sœur cupide. Que de réflexions, que d'ironie le malheur de la fille n'allait-il pas occasionner ! Car Daro n'était pas aimée de ses congénères, commères au verbe fielleux, à la tête vide, toujours occupées à quelque médisance, à quelque grabuge malodorant. De tout temps elle avait fui le monde, préférant vivre seule pour vivre mieux. Elle n'allait chez personne, ne recevait que la vieille Raki et se trouvait bien ainsi. Même à l'époque où vivait son mari et où leur maison s'égayait de la présence d'amis, elle était demeurée la femme silencieuse, assez peu accueillante. C'était son tempérament. Mais on avait trouvé qu'elle était plutôt fière et dédaigneuse. Aussi, comprit-elle assez vite que pour n'être pas obligée de recourir un jour à l'aide d'autrui, il lui fallait travailler et assurer sa subsistance et celle de ses deux enfants jusqu'à ce que le Bon Dieu donnât à chacune un mari.

Les gens de Louga ne s'étaient point réjouis du mariage de Rihanna avec un dakarois cossu. Cette union était pour eux la preuve que Daro et sa famille méprisaient les hommes du village ou ne les trouvaient pas à leur goût. D'amères réflexions habillées dans des mots d'esprit et des allusions coupables étaient parvenues à ce sujet aux oreilles de la brave Daro qui n'avait fait que sourire et secouer la tête, résignée. Après tout elle était libre de donner la main de ses filles à qui bon lui semblait. Elle ne devait rien à personne. On aurait peut-être voulu qu'elle donnât sa fille à l'un de ces fainéants du bourg, qui grattaient à peine le sol pendant l'hivernage et ne vivaient que d'expédients le reste du temps. Des gaillards sans esprit, agglomérés aux environs des factoreries et passant toutes leurs journées en palabres, tandis que la femme mordait la poussière et se vengeait sur le derrière de bébé. Non, on pouvait tout dire, Yaye Daro avait d'autres visées pour ses enfants.

Le départ de Maïmouna pour Dakar n'avait pas manqué de délier les langues, édifiant Louga une fois pour toutes sur l'universel dédain que professait la maison de Daro à l'égard de son milieu.

— Ça y est, disait-on, méchamment, elle embarque la plus jeune pour l'aller vendre à Dakar, comme l'aînée.

— Comme si elles étaient supérieures à leurs concitoyennes.

— Patience, certaines personnes, par leur conduite extravagante, et leurs airs de dédain, arrivent toujours à se faire dire à la longue la condition médiocre et les tares de leurs ancêtres.

Contre tant de malveillance, Daro espérait triompher un jour. Et voilà que Maïmouna revenait de Dakar, grosse d'un amour illicite. Quelle fierté pourrait-elle avoir maintenant, et quelle assurance auprès de ses voisines du marché ? Elle se rappelait leurs allusions quand Rihanna s'était mariée et avait rejoint son mari à Dakar. Un citron roulait-il d'un étal comme pour fuir l'amas de ses pareils, aussitôt la propriétaire saisissait l'occasion et en le rattrapant disait :

— Mô, où vas-tu ? Tu voudrais peut-être prendre toi aussi le chemin de Dakar ? Sois tranquille, tu ne bougeras pas d'ici. C'est ici qu'on t'achètera et qu'on te sucera.

Ou bien une marchande, en retard, s'expliquait :

— Ouf ! j'en ai assez d'être mariée à un « dior-dior » (1). Que de peine, que de travaux avant d'être entièrement à moi. En vérité, celles qui ont préféré les « borom-plumes » (2) n'avaient pas tort.

(1) Dior-dior : habitant du Cayor, synonyme de paysan.
(2) Borom-plume : qui travaillent avec la plume : bureaucrates.

Pauvre Daro ! Comment allait-elle supporter la nouvelle vague de railleries qui ne tarderait pas à déferler ? Elle se mit à chercher dans sa tête, à inventer des répliques, des tournures méchantes qu'elle opposerait aux sarcasmes imbéciles de ses voisines jalouses. N'était-elle pas une woloffe comme elles, née dans le milieu, connaissant l'histoire du pays, les origines et les défaillances de chaque famille ? Y avait-il seulement dans ce bourg une famille qui fût propre du commencement à la fin ? Que quiconque se permît de railler son malheur et l'on verrait un peu...

Elle passa la moitié de la nuit à agiter ces idées de guerre sourde, guerre sourde qui se livrait journellement entre commères sénégalaises de même village ; tandis que Maïmouna dormait du sommeil des justes.

## CHAPITRE XXI

Alima venait de se marier et l'on célébrait son mariage. Un « kende » (1), auquel on voulait donner beaucoup d'ampleur parce que le mari, gérant d'une maison de commerce, était une personnalité fort considérable dans le bourg. Ah ! Il fallait voir ! Ce « kende » ne le cédait en rien à ceux des capitales de l'élégance : Dakar et Saint-Louis. Il y avait pourtant un peu de lourdeur dans les toilettes des femmes et trop de poussière blanche aux pieds des jeunes hommes — l'inévitable farine de la marne. Mais, on pouvait négliger ces détails... Une scène ronde au diamètre respectable était entourée d'une foule très dense, assise, debout, serrée, juchée sur des escabeaux et des échafaudages de maçon. Cela rappelait le *Club de Dakar ou les Arênes Sénégalaises.*

La mariée se tenait dans un fauteuil rembourré et était habillée de noir de la tête aux pieds : boubous de palmane, chemise de palmane, pagne de palmane, henné jusqu'à l'endroit des jambes où le regard occasionne le péché mortel. Sa tête disparaissait dans un pagne de la même étoffe noir brillant, qui laissait voir au devant une nappe bosselée de coquilles d'or. Presque toutes les femmes étaient habillées de la même façon.

(1) « Kende » : célébration d'un mariage.

Il ne faut pas aller chercher ailleurs les richesses sénégalaises, le produit des récoltes, les recettes illicites des dioulas (1), les soldes gagnées dans les bureaux au prix de mille courbettes et autant de bassesses. Elles étaient là ces richesses, transformées en boubous rares, en camisoles de soie, en louis, en éléphants, en tortues, en caïmans, en paniers, en corbeilles d'or. Et les hommes, ces pauvres diables, se contentaient d'une blouse blanche à manches ridiculement échancrées et d'un bonnet (de fez) posé de guingois sur leur crâne.

Le griot se démenait comme un possédé, houspillait ses suppôts, braillait ; c'était pour lui le moment ou jamais de berner cette foule et d'en exiger un droit de chantage garanti par la verve et l'intelligence de sa caste. Il s'arrêtait devant un jeune homme ou une jeune femme, heurtait plusieurs fois son tam-tam, vociférait des louanges qui sonnaient comme des menaces, et tendait une main de maître pour recevoir son dû. Puis il dévisageait une autre victime et l'assaillait.

La danse commença, d'abord molle et languissante : c'était le « Yaba ». Au milieu de la scène était posée une large corbeille agrémentée de rubans jaunes et dans laquelle chaque danseur des deux sexes devait laisser tomber quelques billets, ostensiblement. Sorte de collecte dont le produit entier reviendrait aux griots en souvenir de ce « kende » d'apparat.

Puis la danse s'accéléra : coups de hanches et de reins stylisés avec un art cynique, frottages exécutés directement et sans pudeur... Et les gamins de bondir comme des singes en chaleur sur les arbres environnants qui leur servaient de perchoirs.

(1) « Dioulas » : marchands ambulants.

Tout à coup, la foule s'entr'ouvrit pour laisser paraître une étoile, c'était Maïmouna. Les tams-tams avaient cessé brusquement, comme malgré eux. Elle était là, la fille de Yaye Daro, grande, claire, éclatante. Tache fraîche et reposante au milieu de ce monde sans grâce. Elle portait un boubou de gaze blanche à peine palpable sous lequel une camisole d'un rose violent garnie de vert par endroits formait un fond délicieux. Son pagne hissé un peu plus que de coutume découvrait le galbe lisse de ses jambes au-dessus des chevilles. A la place des babouches marocaines surchargées de fines tresses dorées, elle avait mis des mules espagnoles à hauts talons, roses et vertes, à peine aussi grandes que ses pieds. Autour du cou, un foulard de velours pailleté de rose, de vert et d'or comme les belles de Louga n'en avaient jamais vu. Elle sourit à la foule, avança ses bras cerclés d'or et affronta la rumeur de la foule, le fluide obscur de tout ce monde, le « mauvais œil » et la « mauvaise langue ». Maïmouna avait l'habitude des foules enthousiastes. Un cri s'éleva et l'impressionna un instant :

— Vive l'Étoile de Dakar.

Qui pouvait l'avoir vue au Club de Dakar ?... Qui se souvenait ?

Elle alla, l'air détaché, saluer la mariée puis se laissa installer à côté d'elle. N'étaient-elles pas des amies ? Elle tira d'une des poches de sa camisole un gousset merveilleusement ouvragé, fit glisser le cordon et tendit un billet de cent francs. Nouvelle rumeur.

— Vive l'Étoile de Dakar, répéta de nouveau la voix.

La beauté d'Alima s'éteignait du coup. Elle avait l'air d'une veuve portant pour la première fois ses habits de deuil, femme perdue pour le succès en ce monde.

Et toutes les femmes rentraient honteusement les épaules dans leur épais vêtement, s'énervaient sans cause et voulaient partir.

Le lendemain de ce « kende » sans précédent, comme Maïmouna se trouvait près d'une des palissades de leur concession et faisait la toilette délicate de ses pieds, trois jeunes filles passèrent qui chantaient une vieille mélopée. Maïmouna prêta l'oreille.

Les jeunes filles disaient :

*Touki byr lô di sa ba lé*
*Boung guène démé*
*Ni lène Sa Yaye*
*Gatché dal na ma*

*Voyageuse enceinte que vas-tu raconter ?*
*Quand vous irez*
*Dîtes à ma mère*
*Que la honte m'a eue*

Et les trois jeunes filles rythmaient leur chant en claquant des mains.

Maïmouna réfléchit. La nouvelle était-elle déjà parvenue à Louga ? Par quel moyen ? Qui l'avait répandue ?

Naïve Maïmouna...

Le bruit qui courait dans Dakar avait pris le sillage du train quelque temps après son départ. Or, un bruit, ça va plus vite que la fumée d'une locomotive et ça brûle les gares ; il ne stationne pas, bien au contraire. Il se répand, s'amplifie, les yeux s'écarquillent, des sourires s'ébauchent, la joie étreint les méchants et les jeunes filles composent de nouveaux airs : Touki byr lô di sa ba lé ?

Yaye Daro savait que désormais il n'y avait qu'une seule façon d'en sortir : s'accrocher au jeune homme de toutes leurs forces afin qu'il reconnût l'enfant et épousât Maïmouna. Sans plus tarder, elle acheta du papier et fit écrire une lettre tendre et complaisante à son beau-fils inconnu.

« Oui », disait la lettre de Yaye Daro, après une sommaire prise de contact, « vous êtes tous les deux mes fils. Je suis la mère de Maïmouna et je suis maintenant ta mère à toi Doudou Diouf. Je ne te connais pas mais tous les Sénégalais sont parents et je suis fière que le sang de ma fille ne soit pas tombé ailleurs. C'est moi la mère de Maïmouna, la seule capable de prononcer un oui ou un non décisif sur tous ses projets. N'écoute pas Rihanna, je t'en prie Doudou. Son caractère est trop vif. Elle n'a pas cherché à comprendre. Tout ce que je te demande, c'est de faire un sérieux effort pour que « le monde » ne raille pas la fin de vos relations. Du courage à tous les deux. Vous vous aimez et vous êtes jeunes. Rien n'est impossible dans ces conditions, je le répète sans cesse à Maïmouna. Et le « Monde » aura honte, le « monde » se taira enfin. »

Suivaient les salutations et les vœux d'usage.

En somme, la position de Yaye Daro et de sa fille était celle de gens traqués, qui attendent le secours de l'extérieur. Mais cette position n'était pas encore désespérée, car Maïmouna avait apporté de Dakar beaucoup de toilettes et d'argent. Les deux femmes pouvaient mener un train de vie insultant pour leurs adversaires en attendant que Doudou vînt se marier avec Maïmouna en public, comme Bounama, naguère l'avait fait.

Pour répliquer à la vieille chanson sénégalaise reprise par les jeunes filles, Maïmouna fredonnait une des mélopées de « Colobanne » un quartier neuf de Dakar.

*Express diogué Kayes gneuve*
*Gnari roplane di la térou,*
*Dina séyi ndioufène*
*Tcha diouma ya tcha sô ra ya.*

*L'express venant de Kayes arrive*
*Deux avions t'attendent.*
*J'irai me marier chez les Diouf.*
*Là où se trouvent les mosquées aux longs [minarets.*

Belle réplique en somme. Pourquoi pas ? Ces jeunes filles de Louga étaient bien niaises de vouloir se moquer d'elle. Elle pardonnait cette jalousie, cette étroitesse d'esprit, cette envie mesquine. Que pouvaient-elles tenter pour l'égaler, les malheureuses ?

Tout son être était tendu vers ce dénouement de son existence, suprême vengeance contre Rihanna, contre le « monde » et contre ses compagnes de jeunesse.

La réponse de Doudou Diouf arriva presque sans se faire désirer.

« Je suis confus, mère, de vos propos maternels. C'est moi qui avais prié Maïmouna de vous demander de m'écrire. J'aime beaucoup Maïmouna. Je n'ignore pas ce qu'elle a perdu à cause de nos amours. Soyez tranquille, je réparerai ma faute. Je ferai en sorte qu'elle puisse lever la tête, hautement.

« Je suis de bonne famille à Dakar, tout le monde le sait. Je ne suis pas plus racé que Maïmouna et elle ne l'est pas davantage que moi. Je ne lui promets pas la fortune, mais je me sens capable de l'honorer et de la rendre heureuse, Dieu aidant. »

Suivaient les salutations et les vœux d'usage.

Ah ! si le ciel exauçait la bonne volonté des mortels à l'instant où cette volonté est capable de bonnes résolutions !

Maïmouna fut tout à fait rassurée. Sa mère voyait bien que Doudou n'était pas le dernier des « Saye-Saye » !... (1)

Les journées devenaient de plus en plus chaudes.

Maïmouna, assise devant la case familiale, buvait la dernière coupe fraîche de l'aurore. Elle écoutait mourir le dernier chant des coqs, percevait le tumulte de la volaille pressée de revoir le jour. Et quand la silhouette des hommes, fils d'Adam-ndiaye, se précisèrent et se multiplièrent aux abords de la concession, elle s'enfuit dans la case amie.

La chaleur de cette retraite restait supportable. De grands coups de vent rafraîchis par l'écran de roseaux venaient mourir dans la case. Et quand la porte était close, un peu de lumière veinait l'ombre et la dispersait en plages flottantes, indécises. Alors, Maïmouna prenait son album et des chants d'amour, de regret et d'espoir lui venaient aux lèvres.

L'album ! Galerie de choix où tout était merveille.

Quelques-unes des photos de Doudou étaient particulièrement bonnes. On distinguait jusqu'au fil délicat des cheveux bien peignés, bien rangés, assouplis avec une brosse et tout luisants de brillantine. L'ombre de la lèvre inférieure se dessinait sur le modelé du menton, et le col de la chemise zébré

(1) « Saye-saye » : polisson, crapule.

de raies transversales se détachait nettement du cou long où brillait une légère cicatrice. Les narines semblaient vivantes, l'œil humide vous enveloppait d'un regard insistant et qui gênait à la longue. Ailleurs, Doudou se montrait tout entier, assis sur un roc de l'Anse Bernard, le dos tourné à la mer. Il ressemblait ainsi à un Robinson élégant jeté là par quelque cinéaste : complet bleu marine à rayures discrètes, chapeau de paille souple de Panama, chaussures à deux tons, le veston négligemment déboutonné, le poing gauche sur la hanche et l'une des jambes, la droite, je crois, formant un angle aigu avec le roc. Il attendait là, indéfiniment... Le voilà en costume de bain, saisissant un ballon de volley. Il sourit largement, la bouche ouverte sur des dents éclatantes. Son maillot un peu étroit moule avec fidélité les formes de son jeune corps et serre étroitement des hanches efféminées. Tout au long de l'album, c'est Doudou : Doudou dans le jardin de la Mairie, parmi les fleurs, Doudou à bicyclette, Doudou en pique-nique avec des amis, Doudou dans son petit appartement de la rue Vincens, en conciliabule avec son chat.

Et Maïmouna donc ? Elle était représentée dans l'album par une demi-douzaine de photos dont elle avait fait agrandir deux des plus réussies. Mais, soit par pudeur, soit qu'elle les avait contemplées tant de fois qu'elle s'en était finalement lassée, elle les regardait à peine et passait à d'autres. Par exemple, celle de Galaye en tenue de Hadj. Son visage était bien trop juvénile sous cette coiffure de sage. Encore Galaye. Cette fois, il était en « tambasembé » (1), un énorme tambasembé noir qui se tordait

(1) « Tambasembé » : turban.

par derrière et venait tomber sur l'épaule gauche. Presque de profil, on pouvait suivre les lignes délicates de son nez presque droit et de ses lèvres minces. Une dernière photo le montrait assis dans un large fauteuil, en tenue très simple, avec, à ses pieds les deux « dialis » ahuris, armés de leurs guitares, Bounama, en complet, raide comme un Anglais ; en boubou, l'air avantageux. Puis Rihanna et ses amies. Maïmouna ne regardait que les photos des amies. Elle les revoyait, éloquentes, délicieuses, attrayantes. C'étaient de vraies dames. Pas comme l'autre que le milieu avait assimilée et transformée en personnage hautain, dédaigneux, oublieux de son « tchossane » (1). Ah ! non, Les Sylvy, les Kodou, les Sinie, — on pouvait le dire —, avaient parfaitement assimilé le milieu et s'y trouvaient fort à l'aise. Rien de choquant ne se pouvait relever dans leurs gestes, leurs manières, leur façon de parler au monde et de s'y comporter.

Ce tête-à-tête avec l'album replongeait chaque fois Maïmouna dans l'atmopshère de son existence passée. Elle se rappelait toutes les circonstances dans lesquelles ces photos lui avaient été données, le sourire ou les propos qui les accompagnèrent.

Ainsi peut-elle éviter les ennuis et les dangers de la solitude. Il lui suffisait d'ouvrir l'album pour retrouver un monde familier, qui lui parlait des nouveautés arrivées chez Jim, de la « contre-kourathiaw » et de quelques fameuses réceptions données au cours de la semaine. Elle riait avec ses photos, jugeait avec elles les Dakarois, la mode, le snobisme. Elle faisait avec elles des projets grandioses et nourrissait en leur compagnie un rêve immense de succès et de bonheur.

(1) « Tchossane » : origine.

# CHAPITRE XXII

Le Sénégalais a la manie d'écrire. Il écrit pour dire sa joie, pour manifester son inquiétude, il écrit sans nécessité pour dire qu'il se porte bien, que le ciel est bleu au pays où il séjourne, pour demander des nouvelles de la santé de parents qu'il sait parfaitement bien portants.

Galaye aimait encore Maïmouna, et Galaye, comme tout le monde. Pourquoi ne pas faire un saut jusqu'à Louga, parler avec la mère et emporter d'assaut le consentement de la fille ? Ce n'étaient pas les loisirs qui lui manquaient, ni même les moyens de transport. Non, il préféra écrire. Écrire : on saurait ainsi qu'il ne plaisantait pas.

Maïmouna reçut donc, un peu après la réponse de Doudou, une lettre du jeune hadj, pleine de feu et de sincérité :

« *Je sais qu'en t'écrivant, chère Maïmouna, je m'aliène pour toujours l'amitié de ta sœur Rihanna, qui a tout fait pour me dissuader. Mais je préfère conserver la tienne. Que m'importe que cet accident te soit arrivé ? Il ne t'aura diminuée en rien.*

« *Je continue à t'aimer, je maintiens ma candidature et me considère toujours comme ton fiancé. Je ne doute pas que tu as agi par simple ignorance et que mariée, tu te rachèteras bien vite ; tu n'es pas la pre-*

*mière et tu ne seras pas la dernière à tomber victime de la perfidie des jeunes gens de Dakar.*

*« Autre chose : il ne faut pas que l'attitude de Rihanna te décourage. Ses amies la lui ont bien reprochée après ton départ. Et puis, après tout, tu dois chercher ton intérêt, oublier ce qui est passé, prendre des résolutions et confier ton avenir à ceux qui t'aiment, comme moi : et je te le dis sincèrement.*

*« Toi et ta maman, réfléchissez mûrement à la question et soyez assurées que je suis prêt à accomplir mon vœu envers et contre tous. »*

Après avoir pris connaissance de la lettre, Maïmouna et Yaye Daro demeurèrent quelque temps perplexes. Elle était trop sincère pour qu'on ne la prît pas au sérieux.

— Qu'en penses-tu, Maï ? dit enfin la mère.

Maï, gênée, haussa les épaules.

Yaye Daro poursuivit :

— Quant à moi, je ne connais ni Galaye, ni Doudou Diouf, mais je sais que Galaye est un homme sans mystère, sincère et droit. Sa lettre le montre assez. Et puis, il est bien assis et semble décidé. Évidemment, c'est à toi qu'il appartient de voir de quel côté se range ton cœur. J'ajouterai seulement — et ceci je le dois à mon expérience personnelle — que le souci des réalités devrait bien souvent l'emporter sur ceux du cœur. N'écouter que son cœur et mépriser certaines garanties matérielles ne me paraît pas très sage. J'en ai connu, ma fille, des cas d'amour sourd et aveugle. Leur dénouement ne varie pas : la déception toujours et bien souvent la misère matérielle et morale. Mais ce ne sont là que des conseils de prudence. Mon devoir est de te prévenir contre les surprises désagréables de la vie. A toi de réfléchir et de prendre parti.

Une semaine plus tard la réponse partait pour Dakar.

« Mon cher Galaye,

« J'ai été contente de recevoir votre lettre. Elle prouve, par sa sincérité, que vous m'aimez toujours. Si vous ne m'aimiez pas, vous auriez écouté les paroles de Rihanna. Ma mère, aussi, était trés contente de votre lettre.

« Mais je ne peux plus me marier avec vous et je vous demande de me pardonner ; et je vous remercie beaucoup pour tout ce que vous avez fait pour moi. Mais le père de mon enfant a promis de m'épouser et je lui ai déjà donné ma parole.

« Je ne vous oublierai jamais, malgré tout. »

Ainsi, un trait rouge venait d'annuler les relations de Maïmouna et de son prétendant.

Yaye Daro accepta le fait accompli et réserva son opinion sur cette imprudence.

Maïmouna oublia l'événement presqu'aussitôt. Que pouvait-elle faire d'un Galaye à présent ?...

Un matin, elle reçut la visite de Doudou Khary. Ce garçon aimait vraiment Maïmouna. Il l'avait connue très petite, quand elle ne portait qu'un carré d'étoffe en guise de pagne. Lui, venait de subir « l'épreuve des hommes » (1). Quand, par hasard, la petite Maïmouna passait à côté de lui, gaie comme un oiseau, il lui faisait : chut ! chut ! et la gamine prenait peur, sanglotait et se sauvait à toutes jambes.

Puis, il quitta l'école sans diplôme, et son oncle lui trouva une petite place à la S. P. (Société de

(1) L'épreuve des hommes : la circoncision.

Prévoyance). Il ne perdit pas de vue la petite Maï, qui, par contre, l'ignorait totalement. Quand cette force qui accumule la sève dans les arbres eut fait d'elle la petite fille rêveuse aux gestes plus lents et au regard plus limpide, il eut pour elle un véritable coup de foudre.

Doudou Khary venait très souvent bavarder avec Maïmouna. Il venait de préférence le jour, quand maman Daro n'était pas là. Non pas qu'il redoutât le caractère de celle-ci ; il y avait beau temps qu'elle l'avait admis, lui sachant même gré de tenir compagnie à sa fille. Mais il avait encore cette réserve des garçons bien élevés qui ne desserrent pas les dents en présence d'une personne âgée.

Quand Maïmouna était revenue de Dakar, Doudou Khary s'était présenté avec la légitime intention de lui faire la cour. Qui pouvait lui disputer la place ? Ne l'avait-il pas aimée le premier ? Il osait donc paraître, nanti d'un courage que soutenait la conscience de ce droit de premier occupant...

Mais, dès l'abord, la beauté et l'air de supériorité de la jeune fille l'avaient désarçonné. Il n'osait même pas soutenir son regard, ses gestes manquaient d'aisance. Il bafouillait en parlant. Tout de suite il s'était senti petit et gauche à côté d'elle.

Maïmouna le faisait asseoir sur une chaise en face d'elle, avec des airs de distinction qui l'obligeaient à se tenir tranquille et à surveiller constamment ses moindres gestes. Il n'était pas question de tapes et de bourrades amicales, de propos délurés et d'enlacements par quoi l'on gagne peu à peu la sympathie des filles, puis leur cœur. Le langage de Maïmouna, en présence de Doudou, était volontairement châtié, élégant. La plupart des thèmes qu'elle développait avec légèreté échappaient au pauvre jeune homme qui n'avait pas vu grand'chose et n'avait jamais fréquenté le grand monde. Ainsi, dans la conversation, il faisait piètre figure, acquiesçait le plus souvent, souriait sans conviction. Sa gêne et sa confusion se manifestaient par quelques tics. Ainsi il balançait sans arrêt l'amulette suspendue à son cou, ou bien une de ses jambes était prise d'un tremblement incessant... Maïmouna lui souriait et ouvrait sur lui tous les feux de son regard, ce qui agissait sur Doudou comme une douloureuse fascination et le contraignait à baisser la tête. Et la jeune fille de rire secrètement. Doudou n'était pas un morceau assez résistant. Elle en jouait comme d'un enfant, et finalement congédiait le brave garçon amoureux.

Pour comble de cruauté, Maïmouna montra un jour l'album de photos à Doudou Khary. Passionnée, elle parlait, expliquait, ressuscitait des scènes, secouait la tête, pointait son index rose, levait un regard convaincu sur Doudou, se replongeait dans ses souvenirs... On arriva aux photos de Doudou Diouf ; alors elle se tût et soupira.

— Hé, quel est ce jeune homme, Maï ?

— Celui-là ? dit-elle... Tu ne le connais pas ? Je te dirai son nom une autre fois.

Comment pouvait-il le connaître ? On tourna la page : c'était encore le jeune homme. Une autre : toujours lui. Il s'énerva et voulut passer. Maï l'arrêta, rêveuse, comme pour dire : « Non, attardons-nous là quelque temps. »

La question posée par la jeune fille fit souffrir Doudou Khary : « Tu ne le connais pas ?... »

Il comprit à partir de ce moment. Et, fort sage, ne voulant pas embarrasser son cœur d'un amour sans espoir et passer pour un pantin, il décida de considérer désormais la fille comme une bonne camarade, une amie avec qui il irait bavarder chaque jour.

Alors il retrouva sa verve et son assurance.

Et, chaque fois que Doudou Khary venait voir Maïmouna, il apportait les nouvelles fraîches du bourg.

— Assieds-toi donc, Doudou. Quelles sont les actualités de notre Louga ?

— De sombres prévisions. Un « Bata-Hell » (1), dit-on, vient de tomber. Il prédit que cet hivernage sera particulièrement bien arrosé, qu'il y aura beaucoup de mil et d'arachide, mais que la maladie sévira et que la mortalité sera grande.

— Que Dieu nous protège, trembla Maïmouna.

— Oui, beaucoup de mil et d'arachide. Les récoltes seront surabondantes, dit-on. Mais comment s'en réjouir d'avance si tout le monde ne doit pas voir ces belles récoltes ?

— Que Dieu fasse que nous soyons de ceux qui les verront, Doudou.

— Amine (Amen).

— Autre chose. On a interdit les tam-tam dans le bourg. Il paraît que si la mortalité doit sévir, c'est parce que les jeunesses s'amusent trop et négligent les devoirs envers Dieu.

— Encore ?

— Oui, l'existence va devenir morose par ici.

— Ouf, il n'y a pas toutes ces histoires à Dakar. J'ai envie de retourner à Dakar, moi.

— Sais-tu que le vieux Meissa Sylla est mort hier au soir ? On l'a enterré ce matin.

— Oh Doudou, quelles mauvaises nouvelles tu m'apportes ! J'ai peur.

(1) Bata-Hell : Message dit céleste qui renseigne sur l'avenir.

Doudou rit.

— La mort de ce vieux n'est pas un grand dommage. Il avait presque cent ans. On le sortait le matin au soleil et on le rentrait le soir.

***

Bientôt, d'ailleurs, la nature changea de décor, et de vagues appréhensions emplirent le cœur des hommes. Les changements de saison étaient marqués presque toujours par des deuils ou des calamités.

L'hivernage arriva avec sa brusquerie habituelle. Le premier orage gronda comme une céleste menace : un géant caché qui intimide de petits avortons. Puis, il s'en alla, fier de n'entendre pas de réplique.

Les jours suivants, les nuages s'amoncelèrent, silencieux et perfides.

Quelque temps après la pluie se mit à tomber. Le vent cassait les branches des arbres, renversait les palissades, enlevait les toits des cases, fouillait partout.

La pluie diluvienne et le tonnerre régnaient en maîtres. Les éclairs déchiraient les ténèbres des cases, éblouissants et terribles. Puis le bruit venait, lourd, immense, faisant frémir la terre. Et les hommes se serraient un peu plus dans les cases, frêle protection dans cet univers déchaîné. Les hommes exposés, démunis, se signaient alors : « *la i la ha il a laâ* ». Ils songeaient à la première visite de l'ange qui doit aborder les morts dans la tombe. Pauvres créatures que nous sommes !... Maïmouna tremblait, durant ces orages, comme une feuille.

Elle préférait la pluie sans éclairs et sans tonnerres qu'elle regardait tomber, assise devant la case, sous l'auvent. La pluie dense unissait le ciel et la terre. La musique qui l'accompagnait était douce et caressante. A peine si le vent s'en mêlait, ce maudit vent fureteur. Sur terre, cela formait des flaques, des mares, des ruisseaux. Sous les millions de petites gouttières que forment les menues pailles cylindriques des toits, on pouvait recueillir l'eau de boisson, une eau pure provenant directement du ciel. Ah ! quel repos ! Charmes de l'hivernage ! Les enfants, ravis, couraient sous la douche. Le ciel devenait gris et blanc sans mauvaise intention aucune. Du village s'élevaient des cris de bien-être, de sécurité, d'espoir. Seule la volaille ronchonnait dans ses cellules de planches parce que ce qu'il lui fallait à elle, c'était le bon soleil rayonnant.

Hors du village, la campagne reverdissait, un murmure très doux courait parmi les tiges de mil, de maïs et de gombo ; et le regard s'apaisait aux horizons verts.

Une belle promesse, mais qui n'était pas sans risques, car quand les récoltes s'annonçaient trop abondantes il fallait se méfier davantage de l'épidémie et de la mort.

## CHAPITRE XXIII

L'autorail passa en gare de Louga et apporta de la correspondance à Maïmouna.

Celle-ci appela son traducteur habituel. Elle ouvrit la première lettre et la lui tendit. La lettre venait de Dakar.

— Qui l'écrit ? demanda Maïmouna.

— Pas de nom, répondit le traducteur intrigué.

— Et que dit cette lettre ?

Dakar, le 17 septembre 193...

*Ma pauvre Maïmouna,*

*Cherche un autre homme et laisse tomber Doudou Diouf. Il a maintenant une « courte-robe ». Tout le monde les voit au cinéma. Il t'a oubliée. Il a même juré une fois, au cours d'un banquet offert par des catholiques, qu'il n'épousera jamais une femme de son milieu « a diéré » et sans éducation. Il a dit qu'il lui fallait une femme civilisée, sachant recevoir le monde, et présentable en toutes circonstances. Il a insulté notre religion et nous a traités de barbares en pleine société catholique. Oublie ce jeune homme mécréant et daigne répondre à l'appel de ceux de ta race qui sont des fils de l'Islam et qui ne te trahiront jamais.*

*Un fervent adepte de la secte « Tidjannia ».*

— Mais comment s'appelle cet individu ? insista Maïmouna.

— Il n'y a pas de nom, dit le traducteur.

Maïmouna ouvrit une deuxième lettre et la lui tendit.

— Qui l'a écrite ?

— Un nommé Doudou Diouf.

— Ah ! Vous « le connaissez » déjà.

— Oui.

— Eh bien, que dit-il ?

Elle se cala plus commodément entre les coussins.

*Dakar, le* 15 *septembre* 193...

*Ma chère Mouna,*

*J'ai tellement de choses à te raconter. Dakar est une contrée où déferlent les nouvelles les plus incroyables de la terre. Heureusement qu'elle est située au bord de la mer. Comme cela les échos y arrivent plus vite. Mais les échos qui parviennent de l'extérieur n'égalent pas ceux qui naissent dans Dakar même. Imagine-toi que Bounama m'a abordé ces jours passés. Je sortais de notre bureau. Il a demandé à me parler. Et lorsque nous nous sommes écartés du monde, il m'a demandé si je te connaissais.*

*— Oui, j'ai répondu.*

*— Alors, que s'est-il passé entre vous ?*

*— Que s'est-il passé entre nous ? Mais rien d'anormal.*

*— Et pourtant...*

*— Et pourtant quoi ? M'avez-vous jamais vu chez vous ?*

*— Ecoute, m'a-t-il dit, tout ce que je te demande est de lui être fidèle. Je comprends la vie. Nous sommes*

*tous des hommes faillibles. Promets-moi de ne pas l'abandonner.*

*Puis il a secoué la tête, m'a serré la main et m'a quitté. J'ai toujours estimé cet homme, chère Maïmouna. Il n'est pas emporté comme ta sœur.*

*Autre chose : on parle beaucoup de la guerre de ce côté. Dakar est plein de marins de toutes les races. On commence à éteindre certaines lumières, à bleuir celles qui restent. Mais la vie est toujours belle, les magasins garnis de nouveautés. Je t'enverrai prochainement un paquet de menus objets.*

*Autre chose : Yacine, la Responsable, s'est mariée avec un homme de son pays. Elle est venue me le dire. Elle travaille maintenant chez des syriens, dans la rue des Essarts. Mais elle croit, m'a-t-elle dit, qu'elle quittera, parce que son mari ne veut pas qu'elle soit éternellement une bonne d'enfants.*

*Je pense que tu dois être avancée dans ta grossesse, aussi je pense à toi nuit et jour. Un jour je connaîtrai Louga grâce à toi. Je te quitte. Bonjour à ta maman.*

La preuve éclatante que les insinuations de l'autre lettre étaient fausses. Maïmouna en prit le traducteur à témoin.

Si sa grossesse était avancée ? Bien sûr. Depuis combien de mois avait-elle quitté Dakar ?...

Yaye Daro frissonnait, et sa fille lui disait en s'accrochant à son épaule :

— Mô Yaye boye (1) ! Qu'as-tu donc ?

La pauvre Daro n'arrêtait pas de frissonner. Elle essaya d'articuler une réponse pour rassurer sa fille.

(1) Yaye Boye : mère chérie.

— Ce n'est rien, finit-elle par dire, péniblement. Maïmouna, c'est... c'est... le changement dans... le temps... ça va passer...

— Le changement dans le temps, et surtout ces courants d'air qui circulent dans le marché, le contact de ce monde plein de « deums » et de méchants, sanglota Maïmouna. J'ai beau te dire d'abandonner ce commerce, tu ne veux rien entendre. Pourtant Dieu est grand et nous n'en serions pas plus malheureuses.

Yaye Daro frissonnait de plus en plus. Ce n'était pas le moment de faire le procès de sa vie de marchande.

— Mets sur moi tous les pagnes que tu trouveras, dit-elle en faisant effort pour ne pas gémir.

Mâme Raki, alertée, accourut bientôt, tremblante.

— Qu'as-tu donc Daro ? Mais qu'as-tu ? Depuis quand es-tu malade ?

Elle l'examina sans attendre de réponse et conclut aussitôt :

— C'est un mauvais vent, qui l'aura traversée.

Puis elle sortit et disparut on ne sait où.

Du vent ? Il en courait beaucoup en ce moment dans Louga. Ou bien c'était le « mauvais vent » qui circulait un peu partout.

Dans le bourg, depuis la Montagne jusqu'aux confins de Santiaba, une même vague de terreur courait, soulevée par une maladie qui décimait les pauvres habitants. Puis une nouvelle se propagea : le médecin blanc avait déclaré que c'était la variole. Déjà quelques malades, tôt découverts, avaient pris le chemin du lazaret. Toute la gaîté de ces bonnes gens, si sociables, si attachés les uns aux autres, fit place à la crainte qui se double de superstition. Les rassemblements au marché furent interdits, les tam-tams interdits ; et les Noirs, d'eux-mêmes, évitèrent de se serrer la main. L'homme fuyait son semblable et le fatalisme religieux, pour vivace qu'il soit, n'arrivait pas à assurer le contact des hommes les plus croyants et les plus fanatiques. Quand, jour après jour, on commença à compter les morts, ce fut l'abattement général, et le souci, rare chez le Noir, du lendemain.

Le Service d'Hygiène forma des équipes, demanda des renforts. La mort rôdait partout, et après elle des fantômes habillés de kaki. Des fouilles méthodiques étaient effectuées dans les quartiers les plus atteints. La voiture-ambulance du dispensaire ne cessait ses allées et venues entre les agglomérations indigènes et le lazaret. Son approche jetait l'alarme au cœur des gens, et on se haussait sur la pointe des pieds, derrière les tapades, pour la voir passer comme une bête malfaisante. Quand elle s'arrêtait devant une maison, on savait que la « paix » n'y était pas. Alors, c'étaient des soupirs et des malédictions ; c'étaient des prières au Bon Dieu, pour qu'il éloignât cette voiture et la maladie. Ceux des malades qui n'étaient pas sérieusement atteints se raidissaient dès qu'ils entendaient la corne ou le bruit d'une auto. Beaucoup de personnes réussirent à camoufler leurs malades jusqu'à la période de suppuration ; ce qui fit durer l'épidémie.

Ainsi, grâce au concours de la vieille Raki, Yaye Daro ne fut pas découverte au début de sa variole. Elle pensait pouvoir la guérir toute seule, sans l'intervention d'un médecin. A quoi servait d'être vieille et d'avoir de l'expérience ? On déclarait d'ailleurs unanimement que les médecins, pendant les épidémies, n'avaient pas intérêt à guérir les gens, le nombre de leurs galons croissant avec celui de leurs victimes. Raki s'était arrangée de manière qu'avant le lever du soleil sa malade fût installée derrière la case, contre la palissade en tiges de mil, sous le maigre feuillage d'un « nébédaï » moyen. La vieille boucha l'entrée de cette galerie avec une claie assez haute pour empêcher tout regard indiscret. Ensuite, elle ouvrit largement la porte de la case. La consigne donnée à Maïmouna était d'accourir à la moindre alerte pour répondre aux questions et user de subterfuges. Sa mère était tantôt du côté du marché, tantôt elle était sortie pour une petite course et ne tarderait pas à rentrer. Et comme l'intérieur de la case n'offrait aucun mystère, que la beauté de la jeune fille affolait les gardes d'hygiène, on n'insistait que pour demeurer un peu plus longtemps près d'elle. On provoquait un sourire qui découvrait ses belles dents, et on s'en allait, satisfait.

Dans la petite galerie, à ciel ouvert, Mâme Raki entassait ses produits « pharmaceutiques » entièrement tirés des recettes empiriques locales. C'étaient des feuilles tordues et sèches, recroquevillées et crissantes qui, au moindre contact, se réduisaient en poussière ; c'étaient de longues racines de « nguiguis » des écorces de caïlcédrat, des poudres végétales, des boules de tamarin. Elle se livrait, toujours précise et sûre, à des massages, posait des cataplasmes, administrait des breuvages. Et quand aucune visite n'était à craindre, Maïmouna venait auprès de sa mère, et la regardait avec une tendresse mélancolique. Mâme Raki ne pouvait pas lui dire de s'éloigner de la malade, dont les pustules commençaient à sortir. Comment oser dire à une fille aimante de fuir sa mère malade ?

Si bien que deux semaines environ après son premier accès, quand Yaye Daro commença à aller mieux, la pauvre Maïmouna tomba malade à son tour.

A cause de sa grossesse sans doute, elle fut secouée plus violemment que sa mère. Cette fois, la maladie dépassait la compétence de Mâme Raki. Elle chercha dans sa vieille tête et ne trouva rien. Il n'était plus possible de berner les gardes d'hygiène. D'ailleurs quelques agents bénévoles du service secret ne tardèrent pas à découvrir ce nid de variole, et, un matin, l'Ambulance du Dispensaire s'arrêta devant la concession de la mère Daro. Triste vision...

On sortit de la case deux créatures moralement réduites à l'état de loques humaines. Puis on les traîna vers l'Ambulance. Le Noir qui avait l'air d'être le second du Blanc et qui dirigeait les opérations parla un instant avec ce dernier. Un ordre fut donné, et les manœuvres contournèrent la palissade et ramenèrent la vieille Raki. Le lot était au complet.

L'ambulance prit immédiatement la direction du lazaret.

Quelques agents montaient la garde devant les deux cases désormais vides. La volaille, à cette heure, faisait des siennes dans tous les recoins du village et ne se souciait pas de la becquée du soir. Les maigres arbustes, le vieux nébédaï qui avaient abrité Yaye Daro malade, balançaient mollement leur frêle branchage dans le vent du matin.

Au lazaret, Yaye Daro et sa fille furent mises dans la même case, Mâme Raki dans une autre, en observation.

Ce lazaret était un endroit bien triste, les cases de boue basses, accotées les unes aux autres, avaient des portes en bois munies d'énormes traverses. Le seuil de chacune était à peine assez élevé pour endiguer les ruisseaux noirs que les averses formaient.

A l'intérieur la terre battue, humide, donnait le frisson quand on y posait le pied... Une seule porte et pas de fenêtre. Les lits étaient de petits bat-flancs, en bois léger du pays, et chaque malade n'avait qu'une seule couverture.

Le jour, les varioleux encore solides s'aventuraient dans l'entrebaillement de la porte de leur case, et se lançaient des bonjours timides. Une solidarité naissait spontanément entre eux du fait de leur misère commune. Les gardes qui pataugeaient dans la boue molle ne pouvaient pas empêcher cet échange à distance de bons vœux et cette fraternité que même le bourg ne connaissait pas.

Mais, quand arrivait la nuit, le vent des superstitions soufflait sur toute l'étendue du lazaret. L'éclairage économique favorisait ce développement des Ombres nées des insomnies. Alors, dans les cases, on voyait surgir un nouveau peuple de fantômes plus terriffants que ceux qui emplissaient naguère les rêves de l'innocente Maïmouna. Des frôlements d'ailes, des souffles chauds et des apparitions lumineuses ayant formes humaines. Alors Maïmouna hurlait et se lamentait dans sa fièvre, et Yaye Daro se déplaçait pour la prendre dans ses bras, comme à l'époque déjà lointaine de ses cauchemars d'enfant.

La vie n'était donc qu'un perpétuel recommencement... une peur perpétuelle.

Et quand le jour renaissait, rassurant, ceux du lazaret montraient de nouveau le nez et l'on sacrait, à l'unanimité, contre les fantômes de la nuit et contre les « deums » de la place qu'ils incarnaient.

Le sang de Mâme Raki qui avait, durant soixante années d'existence, charrié impunément les germes les plus redoutables de la maladie ne pouvait que résister au virus de la variole. Aussi demeura-t-elle toujours bien portante, malgré l'œil sceptique du médecin blanc ou du médecin noir qui venaient quotidiennement examiner sa vieille peau ridée.

Comme il était interdit aux personnes en observation de s'approcher des varioleux, elle attendait la nuit pour se glisser dans la case de ses amies malades. L'état de Maïmouna la préoccupait surtout, car Yaye Daro semblait plutôt en voie de guérison.

Quant à Maïmouna, son état empirait de jour en jour. Une fièvre voisine de 40° brûlait son corps et rendait imprécise sa notion du monde extérieur. Elle nageait dans un bain chaud et froid, quelque part entre ciel et terre. Elle éprouvait comme une dissolution progressive de son être. Une sensation de légèreté et de néant transformait parfois son extrême souffrance en une sorte de béatitude à laquelle son corps ne participait pas : vertige, doux vertige où naissaient des mondes nouveaux, de grands espaces sans horizons ni firmament, pays de rêves et de beautés jamais vus.

Elle retrouvait Doudou, son Doudou chéri au milieu de ces jardins, au milieu de ces délices, au milieu de ces personnages qui tombaient en chutes lentes et suaves. Mais Maïmouna, de cet état de rêves et de délires, passait aussi brusquement à la conscience insupportable de son état, au sentiment de la destruction des rouages qui faisaient d'elle une créature animée d'instincts, de désirs, d'espoirs. Alors son corps se révoltait, animé par les gestes insensés de la souffrance, de la peur et du désir de vivre ; elle appelait sa mère et râlait.

Maïmouna avait une figure boursouflée, rose comme une pastèque ouverte. De ses yeux, — deux entailles enflées de part et d'autre —, coulait un liquide blanchâtre et putride. Sa mère les nettoyait sans cesse. Maïmouna n'avait vu ni sa mère, ni l'aurore depuis bientôt la moitié d'une lune.

Un matin, après la visite réglementaire, le médecin blanc, accompagné du médecin noir, fit le bilan de l'évolution de la maladie devant les aides-médecins et les infirmiers supérieurs réunis. Il était consciencieux, ce médecin blanc...

Il mit surtout en relief le cas de Maïmouna et développa une sorte de cours sur les multiples cas de variole.

— Vous savez, n'est-ce pas, par quoi elle débute. Je vous en ai déjà parlé. Et bien, maintenant... nous nous trouvons devant un... cas spécial : le cas des femmes enceintes.

Il respira. Il avait un très fort accent méridional.

— Alors, n'est-ce pas, tenez, le cas de cette jeune fille. Elle est dûrement touchée. En effet, elle fait une variole confluente, espèce redoutable. Vous avez vu que son corps est couvert de pustules extrêmement nombreuses, empiètant les unes sur les autres. La possibilité d'une forme hémorragique n'est pas à écarter à cause de son état de grossesse. Retenez bien ces données pour l'avenir. Autre chose : vous avez remarqué chez elle une ophtalmie purulente. Cela ne pardonne pas. A supposer qu'elle s'en tire, ce que je ne crois pas, elle perdra forcément la vue.

Et, s'adressant au médecin auxiliaire noir, qui venait après lui, il ajouta :

— Je vous prie, M. Hagne, de la surveiller de très près...

Mais non, Maïmouna ne pouvait pas mourir. Elle était trop jeune, elle était trop belle pour mourir. Allez au diable avec vos sombres pronostics et votre science.

La fièvre attaqua de nouveau. Mais comme elle n'avait plus rien à glaner, elle stationna et devint un état permanent.

Yaye Daro était entièrement rétablie. On eût dit que le danger de mort qui pesait sur sa fille avait, en un moment, écourté l'évolution de son propre mal. Déjà les croûtes blanchissaient et tombaient en pellicules. Elle avait pleuré, prié, désespéré. Elle avait appelé Dieu à son secours, l'avait renié, puis reconnu de nouveau. Maintenant, elle ne savait plus à quel saint se vouer. Elle ne s'attendait plus à rien. Elle ouvrait seulement sur sa fille inerte un regard sans expression. Elle ne lui parlait pas et n'avait pas envie de l'entendre parler. Le monde et la vie étaient abolis. Aucun souvenir, aucun regret ne visitaient le cœur de cette mère étourdie par les coups du sort. Depuis quand étaient-elles là, combien de temps elles avaient encore à y rester ? Elle ne se le demandait pas. Il lui semblait qu'elles n'avaient jamais quitté cette case, ni connu d'autre situation que celle-là. Rien ne devait commencer ni ne devait finir.

La solitude de Yaye Daro était d'autant plus grande que Mâme Raki avait été chassée du lazaret, malgré ses protestations et les offres de secours qu'elle avait faites en faveur de ses amies. La pauvre vieille s'en était donc allée, la mort dans l'âme et pleurant à chaudes larmes.

Elle retourna à sa case et bouscula les gardes, bougonne. Elle n'avait plus peur de la voiture ambulance, ni de tous les médecins de la terre. Elle était prête à leur jeter le plus méprisant des défis. Contre sa vieille santé ils n'avaient pu rien faire. De même contre son amitié avec Daro et sa fille ils ne pouvaient rien, absolument rien. Elle passait son temps à prier pour elles. Elle imaginait leur situation dans ce maudit lazaret hanté de diables et de « deums ». Elle suivait en pensée la maladie de Maïmouna. Quelque chose l'assurait que la pauvre fille serait sauvée. Elle l'avait rêvé deux fois. Or, ses rêves n'avaient jamais eu d'autre signification que leur signification directe... Maïmouna avait embelli et portait un bébé rose en ses bras. La vieille s'approchait, souriait, prenait le beau bébé, le berçait. Les trois femmes retrouvaient une joie nouvelle et elles se racontaient, sans presque y croire, leur vie passée au lazaret...

En dehors de cet immense espoir né de quelques songes, il ne restait à Mâme Raki qu'une ressource unique : se rendre chaque matin et chaque après-midi devant la porte du lazaret pour demander des nouvelles de Maïmouna. On lui répondait invariablement :

— Elle est encore là, très fatiguée. Dieu seul sait son compte.

Elle demeurait quelque temps sur place, comme dans l'espoir de la voir paraître. Puis elle revenait sur ses pas, la tête basse et les yeux remplis de larmes...

La suppuration avait commencé chez Maïmouna, indiquant un tournant décisif de la maladie. En même temps la fièvre baissait par dixièmes de degré. Mais son état de faiblesse était tel que la moindre complication devenait fatale.

C'était le moment ou jamais de l'entourer des soins les plus poussés. Le médecin auxiliaire s'y employa. Le cas de cette jeune fille devenait passionnant pour lui. Il tenait coûte que coûte à la sauver.

C'était un jeune médecin auxiliaire encore imbu de l'infaillibilité de sa science. La voix des éminents professeurs retentissait encore dans son esprit. Avec elle, les théories sur l'esprit de sacrifice et d'abnégation du Médecin le rendaient sourd et aveugle devant le danger. Un élan d'humanité, en ce qui concernait le cas de Maïmouna, le poussait à combattre la maladie pouce par pouce. Et cet élan lui était donné par un sentiment d'incommensurable pitié pour Yaye Daro, toujours prostrée. Bon fils, il imaginait sa mère à lui dans une telle détresse, abandonnée, méconnue, livree aux aléas du sort et à l'autorité de la médecine officielle. Il en ressentit presque de la douleur. Rien ne devait l'empêcher de sauver cette jeune fille. Il oubliait les lacunes de son savoir, le fatalisme sommaire dont il avait entrevu le développement à l'école coranique ; il méprisait jusqu'à la terrible force des impondérables qui, dans tous les domaines, pouvaient bouleverser les calculs dans tous les domaines, pouvaient bouleverser les calculs les plus exacts, anéantir les pouvoirs les mieux fondés. Si la mort ne pouvait être combattue par la médecine et par la volonté de vaincre le mal, à quoi bon être médecin, à quoi bon lutter pour la vie des hommes ?

Quelque temps après, Maïmouna accoucha presque sans effort. Un amas informe, qui était comme une partie d'elle-même à moitié liquéfiée.

— Votre enfant est sauvée, dit triomphalement le brave médecin auxiliaire à la mère Daro.

Mais celle-ci n'avait plus d'oreilles pour écouter le langage des hommes. Au mot du médecin, elle parut seulement revenir d'une longue absence et le regarda sans une parole.

Leur séjour au lazaret dura soixante-cinq jours.

# CHAPITRE XXIV

Maïmouna et Yaye Daro restèrent longtemps avant de pouvoir retrouver leur existence normale dans la case familiale. Maïmouna garda le lit encore un mois pour rendre à la vie ce que la vie n'avait su défendre que médiocrement. Elle n'avait aucun souvenir précis du lazaret. Elle n'en revoyait que la silhouette des cases, la cour herbeuse et le petit sentier tordu qui les avait conduites vers le bourg lointain et immense. Ses yeux erraient sur les parois de la case avec une vague impression de renouveau, comme si elle venait de sortir d'un grand sommeil dont la pesanteur diminuait à mesure que les jours s'écoulaient, calmes et monotones.

Après ce repos elle sentit de nouveau vibrer en son cœur les hymnes qui avaient bercé sa jeunesse. Des airs fous, une inépuisable poésie chantante qui se dégageait des choses. Tout avait pris une vitalité extraordinaire, et l'âme de Maïmouna, vidée de son contenu par les assauts de la maladie et la proximité de la mort, semblait boire à toutes les sources. La fraîcheur du matin lui gonflait la poitrine, le soleil chaud exaltait son cerveau engourdi et fascinait ses yeux d'aimables mirages. Le chant des oiseaux, le bavardage des gamins dans la rue et l'activité des foyers voisins renouvelaient son cœur comme une eau de jouvence.

Mais quelle misère que son visage criblé, traversé d'un côté par une longue cicatrice noire qui partait d'une des commissures des lèvres, l'un des yeux presque clos, le front couvert de dartres à la naissance des cheveux ! Seuls le nez et le menton demeuraient lisses et brillants.

Les dents aussi conservaient leur unité et leur blancheur. Son cou décharné était cerclé de chairs noires. Tout cela rehaussé par une maigreur générale extrême.

La beauté de son corps était partie dans les feux de la fièvre.

Maïmouna se regarda dans la grande glace apportée de Dakar ; puis elle considéra une de ses photos agrandies, fixées en haut du mur de roseaux. La comparaison, chose curieuse, ne la désespéra pas. Il y avait certes une part de vérité dans la perfection de cette beauté représentée sur la photo, mais tout le monde sait que les photos effacent nos laideurs ; elles sont faites pour flatter l'œil. Rien de plus improbable que la ressemblance de cette image idéalisée avec la Maïmouna d'autrefois, même à l'apogée de sa jeunesse et de sa beauté. D'ailleurs, avec la bonne nourriture et les soins spéciaux qu'elle prodiguerait à son corps, ses charmes ne tarderaient pas à revenir, pensa-t-elle.

Il était impossible de détruire chez Maïmouna toute espérance. Impossible de la persuader qu'à son âge certaines épreuves physiques sont fatales à la beauté du corps.

Une semaine après leur retour au foyer, le facteur avait apporté des lettres en souffrance à la poste. Il y en avait une de Rihanna, une de Silvy, une de Bounama. Aucune nouvelle de Doudou Diouf.

Rihanna, Silvy et Bounama parlaient de l'épidémie de variole qui sévissait à Louga et dont l'écho était parvenu à Dakar. Ils priaient ensemble pour que Dieu prît Yaye Daro et Maïmouna sous sa protection.

« Il paraît que les gens meurent par cinquantaine tous les jours ; que la plupart des quartiers ont été incendiés. Nous tremblons tous pour vous », disait la lettre de Silvy.

Exagération évidente.

En vain Maïmouna demanda-t-elle au facteur s'il n'y avait pas d'autres lettres. Il n'y avait rien de plus.

Ce n'était pas possible. Même pas un mot pour demander ce qu'elle était devenue dans cette tourmente de l'épidémie... Elle attendit, attendit. Il n'y avait qu'une supposition possible : Doudou Diouf avait été malade et l'était encore... Mais alors pourquoi n'avait-il pas songé à lui faire envoyer un mot par un camarade ? Elle réfléchit davantage et se trouva injuste. Est-ce qu'elle-même avait fait écrire à Doudou pour lui annoncer sa maladie ? Elle avait été si brusque, si violente, cette maladie. Rien de semblable ne pouvait arriver à Doudou. Et Maïmouna d'écarter immédiatement cette idée sombre. Puis elle décida d'écrire à son amant. Doudou avait tort de se conduire d'une façon néfaste à leurs relations. Qu'allait-on penser de son long silence ? Elle l'excusait — quant à elle, connaissant ses vrais sentiments et sachant qu'il était trop enfant et ne se méfiait jamais assez du « qu'en dira-t-on » ; mais tout de même, un peu plus de clairvoyance !...

Elle raconta la maladie de sa mère et surtout la sienne, qu'elle réussit à décrire avec tous les mots qu'il fallait. Mais l'écrivain bénévole eut de la peine à exprimer toutes les souffrances et les terreurs passées. Pourtant Maïmouna trouva finalement une phrase à l'emporte-pièce qui donnait une idée nette de ce qu'avait pu être sa maladie.

— *Dis-lui que j'étais morte et que je suis revenue miraculeusement à la vie.*

Imprudente, elle dicta son portrait exact tel que la grande glace le lui avait révélé. Puis elle crut tout réparer en ajoutant :

« *Pourtant ma beauté reviendra, j'en suis sûre, ma mère a promis de m'alimenter comme on gave une oie.* »

Enfin, elle pleura longuement sur le sort de leur enfant mort-né. Toute sa foi résidait en la vie de cet enfant. Il était son premier amour, un amour inoubliable qu'ils avaient consommé envers et contre tous. Pourquoi n'avait-il pas vécu pour la venger de Rihanna et de tous ses ennemis à elle Maïmouna ? Pourquoi n'avait-elle pas pu lui sourire, une seule fois, avant qu'il s'en allât ?

— *Dis lui que je n'ai même pas vu le petit. Ils l'ont caché et l'ont emporté quand je ne connaissais plus rien de ce monde.*

Mais il fallait espérer en Dieu, Dieu avait des raisons pour reprendre ou laisser vivre les nouveaux-nés.

— *Ma mère m'a dit qu'il valait mieux que les choses se passent ainsi : qu'autrement, je pouvais succomber à la place de l'enfant.*

La vie du bébé qui vient de naître est certes précieuse, douce au cœur de sa mère. Mais la mère et le papa vivant, l'amour assure la naissance et peut-être la vie d'autres bébés aussi beaux les uns que les autres, et dont les parents sont fiers...

Mais, Maïmouna, le premier bébé n'est-il pas plus délicieux que les autres ? Le premier amour, farouche comme un péché, sublime parce que prohibé, se renouvelle-t-il ? Enfin, est-ce que le cœur de l'homme est aussi fidèle que celui de la femme à ce grand vœu de procréation qui dépasse la jouissance immédiate ?

Pauvre petite Maïmouna ! Elle posta sa lettre et attendit.

Elle attendit longtemps...

L'hivernage s'en allait à regret, l'épidémie était en recul. La rumeur grandiose qui l'enveloppait s'effritait peu à peu comme un nuage de criquets chassés par l'ennui d'un long séjour. La nature, lavée à grande eau, paraissait rajeunie. L'air devenait frais et suave. Le tonnerre qui grondait maintenant avait quelque chose de lointain et de repentant. Il roulait vers l'Ouest, conscient du mépris dont les hommes le couvraient à présent. Les pluies étaient rares, espacées, mais voulaient encore imposer un prestige que les hommes jugeaient bien compromis. D'ailleurs, en cette fin d'hivernage, elles étaient plutôt malencontreuses : leur persistance menaçait l'avenir des belles récoltes qui ne réclamaient désormais qu'un bon soleil chaud et permanent. Le mil était haut et les épis jaunissaient, couverts de poussière. Ils se balançaient dans le vent d'octobre et murmuraient entre eux comme un peuple d'êtres animés. Bientôt viendrait le moment de les courber en les rompant à demi pour les protéger des oiseaux pillards. En attendant, ces derniers se livraient à des sauts et des acrobaties, traduisant leur instinct saccageur. A terre, les champs d'arachide, veloutés et d'un vert de bouteille, ne bougeaient pas, étendus jusqu'à l'infini, épousant les dépressions, gravissant les monticules, agrippés au sol et collés à lui comme la peau sur la chair. Les sentiers filaient vers une brousse luxuriante, humide, gonflée de verdeur. Dans les concessions, de minuscules jardins regorgeaient des légumes du pays : gombos verts et fragiles qui tendaient à bout de bras leurs fruits en forme de cornes ouvragées ; piments roses et rouges évocateurs de plats épicés ; courges et concombres paresseusement étendues sur le sol entre les pieds de maïs. Et ces maïs ? Ils portaient sur leurs dos des bébés échevelés, douillettement enveloppés dans des gaines de feuilles jaunes, lisses comme des parchemins. Ils étaient coiffés de tresses capricieuses que le vent malmenait. Partout la promesse de belles récoltes s'affirmait.

Les hommes aussi avaient le cerveau lavé. Lavé des brumes dont la crainte de l'épidémie l'avait empli. Lavé par cette pureté de l'air, par la teinte douce de la verdure. La vie devenait pour eux une découverte ; ils ne l'avaient jamais vue si belle. On avait déjà oublié les morts, les nombreuses victimes de la variole. Il restait toujours assez d'hommes sur la terre pour continuer la vie, pour saluer les belles récoltes et le renouveau.

Dans ce bonheur des choses, la lettre tant attendue arriva...

Quand Maïmouna aperçut le facteur qui s'approchait, une vive émotion naquit en elle. Une joie immense mêlée de crainte et de doute. Pourquoi la crainte ? Pourquoi le doute ? Elle était donc bête. Mais ce ne fut qu'un sentiment fugitif. Le silence de Doudou avait été si long et l'attente de Maïmouna si cruelle...

Elle se précipita sur le facteur et lui arracha presque des doigts la lettre, la bonne lettre. L'autre sourit, la plaisanta un peu et continua sa tournée.

Vite le traducteur et vite la traduction de cette longue missive.

— C'est Doudou qui l'a écrite, commença l'autre.

Puis il fit connaître la date et se mit à lire :

Ma chère Maïmouna,

« Je n'ai pas été sans apprendre la terrible épidémie qui a sévi à Louga. J'ai même pu savoir que ta mère et toi étiez tombées malades. Mais pourquoi je n'ai pas écrit depuis longtemps ? Parce que j'ai un grand chagrin sur le cœur. Je ne sais comment je vais te dire ça. Pourtant, il faut que je te le dise pour que tu sois fixée. »

Ici, Maïmouna eut un sursaut. Une immense inquiétude l'avait gagnée. Mais le traducteur continua :

« Oui, mes parents s'opposent catégoriquement à notre mariage. Je n'arrive pas à leur faire entendre raison. Ils m'ont même menacé de me traduire devant un Conseil de Notables de Dakar. Force m'est donc, ma chère Maïmouna, de renoncer à ce mariage. »

Puis la lettre continuait, pendant quelques moments, avec des déclamations, des cris de détresse arrachés au cœur de Doudou. Les légendaires suicides dans la mer, au fond de quelque puits devenu célèbre à cause de cela ; les départs symboliques qui marquaient l'horreur de ce monde incompréhensif, où les vieux n'arrivent pas à comprendre les jeunes ; l'éternel serment des cœurs veufs qui se promettent désormais au célibat par dégoût de la vie et par fidélité à un rêve non réalisé : tout cela fut évoqué tour à tour, en des élans plus ou moins sincères, comme un bien triste épilogue de la destinée humaine...

« Adieu, ma chère Maïmouna », disait la lettre, pour terminer.

Adieu, Maïmouna ! Adieu, Amour ! Adieu, Espoir ! Adieu ! Adieu !...

Le traducteur se leva doucement, comme à son habitude, tendit le papier à la jeune fille ; puis il salua et sortit.

Le coup avait été si rude et si inattendu que Maïmouna n'eut pas le temps d'esquisser un seul geste. Elle était littéralement pétrifiée. Comme jadis, au lazaret, sa mère à moitié foudroyée par le malheur et l'infortune... Le monde concret cessa momentanément d'exister pour la pauvre Maïmouna... Elle ne put même pas s'étonner ou pleurer. Pour réagir il faut réaliser une situation, y faire face. Il faut être là. Or Maïmouna était réellement absente. Partie nulle part, mais absente quand-même, absente de corps et de pensée, s'il faut que le corps, s'il faut que la pensée demeurent les seules manifestations de la vie... Maïmouna n'éprouvait plus les contrastes, les chocs et les heurts qui définissent la personnalité, qui la délimitent dans le temps et dans l'espace... Elle n'était plus là. Une force terrible venait de broyer son existence passée et présente...

Maïmouna se trouvait être la grande vaincue de la Vie, qui l'avait bafouée d'un bout à l'autre. Bafouée, vilipendée... Elle n'avait pas su dominer la Vie, lui faire donner ce qu'elle avait promis, la mettre au pas, lui faire rendre gorge.

Etre le grand vaincu de la Vie, c'est là mort véritable : être et n'être plus. Etre et n'avoir pas de dépendance ; être une chose insignifiante sur l'océan mouvant du temps et de l'espace, et perdre l'espoir d'intéresser à son sort les hommes qui vous entourent... C'est la mort véritable ; l'autre n'est qu'absence totale, repos, purification...

Un bruit, tout à coup, vint mettre au comble, l'immense souffrance de mort où Maïmouna languissait. Et le monde réel, de nouveau, émergea, sordide, avec sa respiration, ses lueurs normales, et l'écœurement de ses solitudes semées de vacarmes.

La mère Daro trouva sa fille avachie, prostrée, noyée dans ses larmes. Elle avait donc pleuré ! ! ! La lettre gisait auprès d'elle, muette de honte.

— Qu'est-ce qui t'arrive donc, Maï ? questionna la mère, intriguée.

Mais, comme l'autre ne répondait pas et se mit subitement à sangloter et à hoqueter, Yaye Daro eut une intuition, prit la lettre et sortit.

Quand elle revint elle était plus furieuse qu'alarmée :

— Ah ! te voilà bien propre, ma fille ! Pleure davantage ! Pleure donc, crève-toi les yeux. Ce qui arrive était fatal. Je le prévoyais. Mais nous ne sommes que de vieilles cervelles, n'est-ce pas ?... des folles à ne pas écouter ?... des gens d'un autre monde qui ne comprennent rien à la vie moderne ?... Oh ! elle est belle, la vie moderne ! Eh bien, moi je te dis que pareille chose ne serait jamais admise autrefois. Jamais !... Une jeune fille de bonne maison, trahie de la sorte, se fût jetée dans quelque puits de son quartier, au lieu que je te trouve là si couverte de honte et pleurnichant... Mais à quoi bon pleurer et que peux-tu désormais demander à la Vie ? Tu as tout donné à ton Doudou, à celui qui ne te trahirait jamais... Tout donné : ta jeunesse, ton honneur, notre honneur, ta santé ; et il t'achève par ce coup de grâce... Oui, tu as préféré ce voyou, cet imposteur à Galaye Kane, âme noble, homme chevaleresque. Je suis sûre que Galaye, que je ne connais pourtant pas, n'aurait jamais agi de la sorte. Il t'a laissé la porte ouverte, malgré ta lourde faute. Tu as préféré t'aveugler sur l'amour et la fidélité d'un mécréant, d'un buveur d'alcool, qui renie sa tradition et préfère se marier à une « gourmette »... Je t'ai mise en garde et tu m'as, par ton attitude, persuadé mon erreur de vieille folle. Mais d'ores et déjà tu peux consacrer la vérité d'un proverbe ouolof qui dit : « La parole des vieux peut rester tard dans la forêt, mais elle n'y passe pas la nuit. »

« Maintenant, « yaye-boye », sais-tu ce qu'il te reste à faire ? Sécher tes larmes, achever ta guérison et me suivre au marché. Ah ! mon marché si décrié... mon humble marché... Le marché des pauvres femmes obligées de se faire marchandes pour gagner leur Vie !... Eh bien oui, il ne te reste plus que ça... Tu seras marchande, comme moi ou tu mourras de faim, car personne, dans ce bourg, ne voudra de toi...»

Puis elle fit semblant d'être indifférente au sort de sa fille. Vaqua à quelques besognes ménagères. Mais dans la cuisine, elle se mit subitement à sangloter, prostrée au milieu des ustensiles en désordre.

Mâme Raki, informée de ce nouveau malheur, demeura longtemps pensive. Malgré son ingéniosité, elle était incapable de trouver tout de suite le mot qui calme, console, rassure. Elle était incapable d'invoquer plus ou moins sincèrement un arrêt des dieux ou une combine du diable. Il n'y avait qu'à reconnaître l'inconstance des hommes et leur égoïsme criminel. Par réaction contre cette impuissance à donner un sage conseil, la vieille se mit à appeler sur la tête de Diouf toutes les foudres de l'univers.

« Ce jeune homme est un fils de chiens, un assassin, il mériterait la mort. Que toutes les malédictions tombent sur lui ! Que Dieu lui fasse payer cher sa mauvaise action ! Oui, il sait que Maïmouna n'a ni frère, ni oncle pour se rendre à Dakar et la venger. Daro, dit-elle, tu devrais écrire à Bounama pour lui demander de le châtier. Ce « Domou-haram », fils d'esclave ! »

— A quoi bon, Mâme Raki ? J'ai toujours évité soigneusement de parler du sort de Maïmouna à Rihanna et son mari.

— Tout n'est pas perdu, philosopha la vieille. Il y a bien dans le bourg des hommes qui ne demanderont pas mieux que d'épouser la fille de Daro. Il n'y a dans la vie qu'une chose qui compte : la santé. Si Dieu nous donne la santé il nous a tout donné. Mais, en vérité, ce jeune homme mérite un châtiment exemplaire. Quel « saye-saye » !

Yaye Daro trouvait inutile d'épiloguer outre mesure sur cette nouvelle épreuve qui hâtait le blanchiement de ses cheveux et la fin de ses jours.

Et le temps passa, indifférent au calcul des hommes, insensible à leurs joies et à leurs détresses. Il passa comme un fleuve qui charrie, sans le savoir, des milliards de cailloux et de grains de sable, et à qui importe peu leur rêve d'échouer sur une berge plutôt que sur une autre.

Les hommes, tenaces et vaillants, se mirent à couper les épis de mil, à fouiller les champs d'arachide. Hardi ! Toute la réalité de l'existence était là. Le reste n'était que rêves insensés. Maïmouna pleura son malheur une semaine durant. Puis elle sécha ses larmes et fit courageusement face à la vie.

Marchande au bourg de Louga ? Pourquoi pas ? Il lui fallut réapprendre à disposer un étal, grouper des citrons, mettre en évidence de gros piments verts et roses, attirer les clients avec des mimiques et des sourires. Ses souvenirs d'enfance et une certaine hérédité lui furent, à cette occasion, d'un très grand recours.

Sa mère la réveillait à l'aube. Elles comptaient, ensemble leur avoir, supputaient leurs bénéfices déjeunaient d'un cous-cous de la veille. Et avant le premier cri de la maudite sirène qui rappelait le bourg à la réalité du monde, elles s'étaient déjà installées pour attendre.

Elle découvrit rapidement un charme profond dans cette perpétuelle exposition des denrées du marché, dans les airs fanfarons des marchandes, dans la succession des foules et jusque dans les odeurs dont l'atmosphère était saturée.

Avec la fuite des jours son existence passée s'en allait, s'évanouissait, enveloppée dans un nuage aux contours imprécis. Il lui semblait maintenant que ce passé n'avait jamais été qu'un rêve.

Avec la fuite des jours, la vraie vie, la vie réelle sans tendresse ni leurre, Maïmouna commençait à la découvrir, à l'aimer du même amour que sa brave mère.

Elle l'acceptait d'emblée, avec son cortège de luttes, de souffrances, de misères et d'humiliations. N'était-ce pas la meilleure façon d'en triompher ?...

Un matin, durant les heures fraîches où les clients n'affluent pas encore, Maïmouna vit passer un homme qu'elle crut reconnaître. Elle le reconnaissait sans doute. Elle se retint un instant, puis appela :

— Diabèle, Diabèle Guèye...

Le marché riait, le marché chantait. Il riait aux éclats, respirait par saccades bruyantes, étalait ses charmes et ses immondices, comme une veuve généreuse et impudique.

— Diabèle ! Diabèle Guèye !

L'homme se retourna, intrigué par cet appel qui partait d'on ne savait où.

— Diabèle ! Diabèle Guèye ! C'est moi Maïmouna Tall.

L'homme eut du mal à la reconnaître. Et quand il

. eut reconnue, il mit ses doigts devant ses lèvres et prononça : « Tièye Yalla »... (1) Puis il s'en alla tristement en secouant la tête.

(1) Tièye Yalla : expression d'étonnement.

Imprimé en France par CPI
en juin 2020

Dépôt légal : 3e trimestre 1958
N° d'impression : 2052072